«Его герой... продолжает
и в одиночку защищать по
и равенство наций, правопор
коррупции, самопожертвование, душевность...»

КРИСТИНА МЭСТР, «Рюсси д'Ожурдюи», Париж

«Внимание читателей привлекают его конкретный стиль, ритм и интрига произведения. Это действительно очень хороший детектив».

МАРК СЕМО, «Либерасьон»

«После завершения чтения любого романа Чингиза Абдуллаева читатель настолько заинтригован, что желает немедленно начать читать новое произведение автора. Чтение любой книги Чингиза Абдуллаева доставляет удовольствие, которое еще может доставить книга в начале двадцать первого века».

ПРОФЕССОР ДУМИТРУ БЕЛАН, Бухарест

«Чингиз Абдуллаев, безусловно, является одним из лучших романистов современности, известных во всем мире... Его шарм может обезоружить дипломатов на официальных приемах и вражеских агентов в темных переулках».

ДЖОН БОЙТ, «Крисчен сайенс монитор»

«Литература – для людей. Таково творческое кредо Чингиза Абдуллаева, который заставляет нас безусловно верить в его героев».

ПРОФЕССОР МАРИЯ СЕМЕНОВА, Санкт-Петербург

мастер криминальных тайн

Чингиз АБДУЛЛАЕВ

УРОК КРИМИНАЛИСТИКИ

МОСКВА
2021

УДК 821.161.1-312.4
ББК 84(2Рос=Рус)6-44
А13

Абдуллаев, Чингиз Акифович.

А13 Урок криминалистики / Чингиз Абдуллаев. — Москва : Эксмо, 2021. — 320 с. — (Абдуллаев. Мастер криминальных тайн).

ISBN 978-5-04-118032-4

Дронго вместе с супругой гостит в имении старого друга, бывшего вице-премьера Эльбруса Алхасова.

Здесь собралась вся большая семья отставного чиновника: его брат и сын, дочь с мужем, а также гости и домашние работники. Высокое социальное положение, достаток, почет... Что еще надо, чтобы счастливо встретить старость?

Но лишь на первый взгляд в семье Эльбруса Алхасова царит идиллия. От проницательного Дронго не ускользают многие очевидные и необъяснимые вещи. Атмосфера в особняке стремительно накаляется. Взаимную ненависть уже невозможно скрыть.

И приходит первая смерть. Затем вторая, третья...

Дронго начинает расследование и внезапно понимает: сам того не подозревая, он обеспечил убийце железное алиби...

УДК 821.161.1-312.4
ББК 84(2Рос=Рус)6-44

ISBN 978-5-04-118032-4

Глава 1

Спустя некоторое время он станет часто задавать себе один и тот же вопрос. Верно ли он сделал, что вмешался в эту историю, пытаясь решать за всех. И правильно ли он поступил, когда взял с собой Джил? Ведь он всегда старался огородить свою семью и своих близких от тех испытаний и стрессов, которыми в избытке была наполнена его жизнь.

Они были в Риме, когда позвонил его старый друг Мирза Эфендиев. Он пригласил Дронго вместе с Джил прилететь на свадьбу своего сына. На Востоке от подобных приглашений невозможно отказаться. Разумеется, приглашение было на двоих, и Дронго решил взять с собой Джил, которой так нравились бакинские многолюдные шумные свадьбы с громкой музыкой, обильными яствами и неповторимой обстановкой. Джил уже не раз бывала на подобных свадьбах и всегда поражалась их размахом. Хотя как итальянка она привыкла к шумным и многолюдным застольям. В отличие от северных европейцев, южане-итальянцы также широко отмечали свои свадьбы и дни рождения. Но если на итальянской свадьбе могли быть сто или сто пятьдесят гостей, то на азербайджанской свадьбе обычным делом было пятьсот-шестьсот человек. А иногда и еще больше. Если на итальянских свадьбах блюда меняли трижды или четырежды, включая десерты, то на свадьбах в Баку — десять-двенадцать раз. А суммы, потраченные на музыкантов, цветы и убранство столов, часто в несколько раз превышали стоимость еды, чего никогда не могли позволить себе итальянцы.

Вместе с Джил Дронго вылетел в Баку с пересадкой во Франкфурте. Сидя в первом ряду, он просматривал газеты, когда к нему в очередной раз подошла стюардесса.

— Вы будете что-нибудь пить? — уточнила она.

— Красное сухое вино, — он убрал газету, заметив удивленный взгляд Джил. — Что-нибудь не так?

— Ты попросил вино уже в третий раз, — озадаченно заметила Джил, — я никогда не замечала, чтобы ты пил подряд три стакана вина.

— Ты просто мало летала со мной, — усмехнулся он. — Помнишь, мы договорились с тобой, что, пока у нас маленькие дети, мы не будем вместе садиться в один самолет. Дети выросли, и теперь мы можем позволить себе путешествовать вместе.

— Поэтому ты решил напиться? — рассмеялась она. — Я сейчас подумала, что никогда в жизни не видела тебя пьяным.

— Я слишком много времени проводил не с вами, — пробормотал он, — а в самолетах я всегда позволяю себе выпить больше обычного. Ты ведь знаешь, как я боюсь летать самолетами...

— Учитывая, сколько ты летаешь, в это всегда было сложно поверить...

— И тем не менее. Но после первого бокала я успокаиваюсь. После второго совсем хорошо. А после третьего лечу рядом с самолетом, — пошутил он.

Стюардесса принесла бокал вина, поставила его на столик.

— Теперь ты будешь лететь рядом с самолетом, и я не смогу с тобой разговаривать? — улыбнулась Джил. — Видимо, я действительно уже давно не летала с тобой.

— Ты всегда летела рядом со мной, — серьезно заметил он. — Во всех поездках.

Она сжала ему руку и отвернулась. Было заметно, как эта фраза ее взволновала.

Он выпил третий бокал и мрачно подумал, что он редкий сукин сын. Посчитать количество женщин, с которыми он встречался за все эти годы, было достаточно сложно. Число получилось бы более чем внушительным. Да, идеальным мужем он никогда не был. И все же за все эти годы он ни разу не изменил Джил, не поменял ее на другую женщину. Он ни разу не пытался обмануть какую-либо женщину, никогда никому не обещал жениться. Но Дронго понимал: все его связи «на стороне» так или иначе все равно были изменой. Ведь узнай о них Джил, она испытала бы невообразимую боль и обиду. А Дронго менее всего хотел обидеть супругу.

...Человек, сидящий в удобном кресле бизнес-класса и медленно потягивающий из бокала красное вино, был высокого роста, широкоплечий, лысоватый. Дронго — было его прозвищем, псевдонимом или, как сейчас говорят, — никнеймом. Он был одним из лучших экспертов Организации Объединенных Наций и почетным послом Интерпола. За много лет он превратился в легенду криминалистики, сумев распутать сотни различных загадочных преступлений. Его привлекали к сложным и опасным операциям под грифом «совершенно секретно». К его досье имели доступ многие спецслужбы мира, пристально следящие за его перемещениями; они прекрасно знали, что эксперт подобного класса появляется в тех местах, где происходят абсолютно неординарные события.

Но сейчас Дронго летел на свадьбу в Баку, сидя рядом с Джил и просматривая свежие газеты.

Прибыв в Баку, они сразу отправились на квартиру, в которой Дронго жил. Джил бывала здесь редко в целях безопасности. Много лет назад Дронго объяснил ей, что рядом с экспертами его класса не могут постоянно находиться близкие люди, родители, жены, дети, так как семья — самое уязвимое, самое слабое звено, через которое заинтересованные лица могли бы диктовать эксперту свою волю.

Даже в литературе самые известные сыщики жили без семей. Шерлок Холмс и Эркюль Пуаро, Ниро Вульф и патер Браун. У комиссара Мегрэ была супруга, но не было детей... Джил все поняла правильно.

Каждый раз, приезжая в его квартиры в Баку или в Москве, она начинала энергично наводить порядок в комнатах, словно пыталась создать задел на несколько месяцев вперед, пока ее тут не будет. Вот и сейчас, едва войдя в квартиру, Джил сразу принялась раскладывать по своим местам раскиданные вещи. Например, книги, которые пылились по всей квартире. Джил находила знакомые предметы и улыбалась. Она помнила, что Дронго нарочно сделал бакинскую и московскую квартиры похожими как две капли воды. Даже мебель и книги были одинаковыми. Исключение составляли только картины на стенах...

Свадьба была назначена на завтра. Джил записалась в салон к стилисту, чтобы с утра пораньше привести прическу и макияж в порядок. Поздно вечером позвонил Мирза, очень обрадованный их приездом. Он пообещал прислать завтра утром приглашения. Это тоже была отличительная черта местных свадеб, когда гостям рассылали пригласительные открытки в конвертах с золотым шрифтом и орнаментом, а иногда даже в шикарных картонных коробках, напоминающих инкрустированные шкатулки. Разумеется, такие приглашения часто хранились в семьях как памятные реликвии. Мирза сказал, что на свадьбе будет много его друзей и они очень хотят познакомиться с легендарным экспертом, о котором они слышали столько всего интересного. Дронго поблагодарил, хотя и поморщился. Более всего на свете он не любил быть в центре публичного внимания, видеть вокруг восторженные взгляды и отвечать на банальные вопросы, связанные с его профессией.

На следующий день в роскошном дворце, специально построенном для больших торжеств, состоялась свадьба. Число гостей приближалось к семи сотням. Прибывшую из Италии пару посадили на почетное место – за один из столиков, находящихся максимально далеко от музыкантов, играющих, по местным традициям, слишком громко. По правую сторону от Дронго и его спутницы сидели два брата Мирзы и их жены, поразившие Джил обилием бриллиантов и дорогих украшений. Женщины словно соревновались друг с другом в роскоши и даже не понимали, насколько они смешно и нелепо выглядят. Оба брата Мирзы напоминали крупные груши из-за выпирающих животиков.

Еще одна пара, сидящая по другую сторону от Дронго, оказалась гораздо интереснее. Это были прибывшие из Грузии друзья родителей жениха, Роберт и Лиана Чихладзе. Им было не больше сорока лет. Роберт привлекал внимание высоким ростом, красивым орлиным профилем, выразительными глазами и густой копной черных волос. Под стать мужу была и Лиана, сидящая рядом с Джил. Большие миндалевидные глаза, чувственные губы, узкие скулы. Нос с небольшой горбинкой, который придавал ей некий шарм. Мирза, представляя эту пару, пояснил, что Роберт занимает должность вице-президента крупного грузинского банка, а его супруга руководит психологической школой в Тбилиси. Дронго выдержал взгляд женщины, который она метнула в него, и сам заинтересованно посмотрел на них.

Свадьба уже началась, но два места за их столом оставались незанятыми. Очевидно, гости задерживались. Это тоже было в порядке вещей. Если на приглашениях указывали шесть часов вечера, то гости собирались к семи или даже к восьми. На Востоке пунктуальность никогда не была отличительной особенностью проживающих здесь людей. Однако на часах было уже половина девятого, а два места по-прежнему пустовали. Лиана все время заинтересованно смотрела в сторону своей соседки и ее мужа.

— Вы давно приехали в Баку? — уточнила она.

— Только вчера, — пояснила Джил. Она говорила по-русски с небольшим акцентом. Как и Лиана, у которой был явный грузинский акцент.

— Я говорю по-итальянски, — сообщила Лиана. — Он всегда был моим любимым языком.

— Спасибо, — поблагодарила Джил. — А вы все время живете в Тбилиси?

— Да, конечно.

— Чудесный город, — вспомнила Джил. — Мы однажды там были.

— Вам понравилось?

— Очень. Сам город, атмосфера, конечно, люди. Красивые мужчины и женщины. Очень понравилось.

— Ваш супруг тоже нравится многим людям в нашей стране, — заметила Лиана.

— Я знаю, — кивнула Джил.

— И особенно женщинам, — добавила Лиана.

— И это я тоже знаю, — улыбнулась Джил.

— И вы не ревнуете? — еще более понизив голос, спросила Лиана.

— По-моему, этим нужно гордиться.

Лиана взяла свой бокал.

— Вы умная женщина, — сказала она. — Ваше здоровье.

На часах было уже без двадцати девять, когда появилась последняя пара. Эти двое были самыми молодыми. Им было лет тридцать пять. Молодой человек взглянул на Лиану, и она кивнула ему в ответ, чуть прикусив губу. Он тоже кивнул. От Дронго не ускользнуло, как они встретились взглядами и кивнули друг другу.

— Эркин Алхасов и его супруга Наза, — представил гостей подошедший Мирза, — это племянник самого Эльбруса Алхасова. Вы о нем слышали.

— Бывший вице-премьер, — подтвердил Дронго.

— Да, — кивнул Мирза, — он был нашим вице-премьером. Один из самых влиятельных людей в нашей стране. Сейчас он болеет и поэтому не смог сам присутствовать на свадьбе. Но прислал своего племянника. Он возглавляет большую строительную компанию своего дяди. Очень талантливый специалист.

«При наличии такого дяди и его финансов в этом сложно усомниться», — подумал Дронго.

— Вы тот самый эксперт, о котором ходит столько слухов? — достаточно бесцеремонно спросил Эркин. Он был чуть выше среднего роста, худощавый и подтянутый, носил щеголеватые усики. Молодая супруга уже начала расползаться в талии и была вдвое шире его. Тут к гадалке не ходи — еще через десять лет она достигнет необъятных размеров. При этом она честно пыталась сдерживать свой аппетит, устраивая «разгрузочные дни», которые впоследствии активно компенсировала неудержимым обжорством. Она была перекрашенная блондинка. И тоже нацепила на себя массу дорогих украшений. Джил изумленно подняла брови. Ярмарка тщеславия была более чем показательной. При этом сильно бросалось в глаза полное отсутствие вкуса. В отличие от большинства присутствующих дам, Лиана была в длинном сером платье, а из украшений носила лишь скромные серьги и кулон на шее. Тем не менее выглядела женщина потрясающе — элегантно и стильно.

— Не знаю, какие слухи ходят, но я, наверное, тот самый, — ответил Дронго Эркину.

— Говорят, что вы умеете раскрывать самые запутанные дела, — громко продолжал Эркин, жестом подзывая официанта и показывая на свою рюмку. — Видимо, это особый талант. Мне много рассказывал о вас мой дядя.

— Не мне судить, — Дронго начал раздражать наглый тон молодого человека.

— Мне говорили, что вы самый лучший эксперт, — не унимался Эркин. — У нас есть знакомый следователь, который уверял, что вы можете раскрыть любое преступление.

— Людям нравится верить в разные мифы, — пробормотал Дронго. Джил почувствовала его настроение и сжала ему руку под столом.

— Я тоже считаю, что есть такие преступления, которые невозможно раскрыть, — добавил Эркин.

— Это зависит от самого сыщика, — вставил Роберт.

— У господина эксперта такая репутация, что он может творить чудеса, — заметила Лиана.

— В наше время чудес не бывает, — усмехнулся Эркин. — В них уже никто не верит. Принеси нарезанный лимон, — приказал он официанту, — для водки. И налей мне сок граната. Только сделай все очень быстро.

— Пойдем танцевать, — предложила Джил. Они поднялись и прошли в центр зала.

— Он тебя раздражает? — спросила она, когда они начали танцевать.

— Нет. Просто досаждает, — признался Дронго. — Такие люди, ставшие богатыми лишь благодаря своим родственным связям, считают себя хозяевами жизни и даже не понимают, насколько смешно выглядят.

Он не мог даже предположить, что уже завтра они окажутся вместе в одном доме, где Дронго будет распутывать одно из самых загадочных преступлений, с которым ему когда-либо приходилось сталкиваться.

Примеру Дронго и Джил последовали Лиана с супругом. Они тоже пошли танцевать. От Дронго не ускользнуло, как внимательно женщина следит за ними. Возможно, ей просто было интересно наблюдать за столь гармоничной и красивой парой.

Эркин одну за другой выпил две рюмки, в то время как его супруга стремительно поглощала еду. Джил обратила внимание, как к ним подходят гости, как они здороваются. Эркин даже не вставал при этом, лишь лениво протягивал руку и небрежно кивал. Впрочем, один раз он все же изволил подняться, когда к их столику подошел седой мужчина. Эркин стремительно вскочил со стула и почтительно поклонился, незаметно толкая супругу, чтобы она перестала жевать и поздоровалась с гостем.

Джил улыбнулась.

— Кажется, этот гость круче, чем Эркин.

— Ты становишься слишком наблюдательной, — усмехнулся Дронго. — Да. Ты права. Этот человек сейчас занимает место его дяди. Вице-премьер собственной персоной!

— А вот другая наша соседка не сводит с тебя глаз, — пробормотала Джил. — Она меня уже предупреждала, что ты нравишься женщинам в ее стране.

— Только в ее? — нарочито удивленно уточнил он.

— Этого она не сообщила.

— По-моему, ты ошиблась. Ей как раз больше интересна именно ты. Она больше смотрит на тебя.

— Наверное, пытается понять, как я живу

с объектом безграничного дамского обожания, — лукаво заметила Джил.

— Может быть, — согласился Дронго, улыбаясь.

Они вернулись к своему столику. Эркин о чем-то говорил по телефону, и было заметно, как он нервничает. Ему даже в голову не приходило, что нужно говорить тише или просто выйти из-за стола. Лиана обменялась понимающим взглядом со своим мужем. Для остальных развязное поведение блатного племянника было в порядке вещей.

— И сделай как тебе говорят! — недовольно крикнул Эркин в трубку, после чего швырнул ее на стол рядом с собой — так, чтобы на гаджет обратило внимание как можно больше людей. Это была последняя модель «Vertu», стоившая более десяти тысяч евро.

Джил и Лиана переглянулись, понимающе усмехнулись.

— Какие-то проблемы? — уточнил один из братьев Мирзы, сидевших за столом.

— Все как обычно, — недовольно ответил Эркин. — Ничего не могут вовремя делать. Дядя уже давно болеет, а его сотрудники просто распустились. Давно пора начать сокращать этих дармоедов. Я ему столько раз говорил, но он сентиментальный человек. Через неделю собирается принять у себя гостей из Италии для подписания контракта. Ему сложно выходить из дома и поэтому он решил пригласить всех к себе. Старческие выходки.

— Ваш дядя — легендарный человек, — уважительно заметил его собеседник.

— Был легендарным, — криво усмехнулся Эркин, — а сейчас больной старик, отошедший от дел. Мы должны подписать важный контракт, а он заставляет иностранцев ехать к нему, как будто это нельзя сделать в столице.

Он выдавил очередную половинку лимона себе в рюмку. Рядом стоял большой бокал с гранатовым соком.

— Мы тоже завтра приедем к вам, — сообщил Роберт. По лицу Лианы пробежала тень. Эркин взглянул сначала на нее, затем на Роберта.

— Очень хорошо, — пробормотал он, снова выпив рюмку водки. — Надеюсь, вам будет интересно. Дядя построил такой большой дом.

Он взял телефон, нажал на кнопку.

— Добрый вечер. Нам подтвердили, что итальянцы уже взяли билеты. И мы, конечно, привезем гостей к вам. Да, приедем обязательно. Кстати, здесь рядом с нами тот самый эксперт Дронго, о котором вы говорили. Да, он здесь вместе с женой.

Видимо, дядя попросил передать телефон гостю.

— Добрый вечер, — услышал Дронго глухой голос. — Рад вас приветствовать. Мне сказали, что вы тоже приглашены на свадьбу сына нашего друга.

— Добрый вечер, — поздоровался Дронго. — Да, мы прилетели в Баку на несколько дней.

— Приезжайте завтра ко мне, — предложил Алхасов. — Я тесно работаю с итальянскими компаниями. А у вас супруга, если не ошибаюсь, итальянка. Мне будет очень приятно с вами еще раз увидеться. Мы ведь познакомились, кажется, лет восемь назад.

— Я помню. Спасибо за приглашение. Не уверен, что получится. Слишком много дел.

— Очень жаль. Я с удовольствием бы вас принял. Подумайте и не отказывайтесь. Если нужна машина, я за вами пришлю. Окажите честь моему дому.

— Спасибо, — Дронго взглянул на Джил. «Может, действительно поехать? — подумал он. — Ей будет интересно...»

— Мы постараемся, — сдержанно пообещал он, возвращая телефон Эркину.

— Я уже договорился обо всем, — добавил Эркин, обращаясь к дяде. — Мы все сделаем как говорили. Не беспокойся. Вообще не нужно было их туда вызывать. Могли бы все подписать и в Баку. Ладно, ладно. Я понял. Я давно все понял.

Он убрал телефон в карман и пожал плечами.

— У стариков свои причуды. Старческие выходки, — раздраженно заявил он, обращаясь скорее к Роберту и Лиане. Роберт промолчал, а Лиана демонстративно отвернулась.

В этот момент снова заиграла громкая музыка. Джил наклонилась и тихо уточнила:

— Ты действительно хочешь, чтобы мы туда поехали?

Они даже не подозревали, что через несколько минут произойдет событие, которое изменит их планы.

Глава 2

Свадьба шла своим чередом. Гости произносили тосты за родных и близких, за счастье молодоженов, за их будущую совместную жизнь. В перерывах выступали певцы и артисты, которые привычно отрабатывали свои гонорары, чтобы затем быстро переехать на другую свадьбу. Денежное вознаграждение некоторых звезд зашкаливало, но это было в порядке вещей.

В какой-то момент тамада объявил тост за отсутствующего Эльбруса Алхасова и его семью. К столику потянулись люди с бокалами в руках. Набралось человек сорок, которые выстроились в очередь, чтобы чокнуться с Эркином и высказать пожелание долгих лет жизни его отсутствующему дяде. Вокруг стола даже возникло небольшое столпотворение. Эркину все-таки пришлось подняться, отвечая на приветствия прибывающих гостей.

Дронго подумал, что здесь собралось слишком много подобострастных гостей, готовых засвидетельствовать свое почтение к бывшему вице-премьеру. Никто не знал, насколько серьезно болен Эльбрус Алхасов, но ходили слухи, что он может вернуться во власть и стать вице-спикером парламента. Поэтому вокруг племянника было так многолюдно.

Наконец волна спала, и Эркин с недовольным лицом уселся на место. Его супруга тоже плюхнулась на стул, недовольная тем, что рядом было так многолюдно, тесно и мало воздуха.

— Твой дядя все еще очень популярен, — достаточно громко сказала она, явно с таким расчетом, чтобы ее услышало как можно больше гостей.

Джил и Лиана переглянулись и улыбнулись. В этот момент Эркин поднял свой бокал с гранатовым соком.

— Надоели мне все эти подхалимы, — громко сказал он. — Столько неблагодарных появилось, едва дядя ушел со своего поста. А сейчас, когда узнали, что он может вернуться, сразу бросились целовать ноги нашей семье. Просто неблагодарные свиньи. Разве можно уважать таких людей?

Он залпом выпил. Чуть поморщился. Поставил бокал на столик. И неожиданно закашлял. Секунду, две, пять. Все встревоженно переглянулись. Эркин схватился за горло. Супруга испуганно всплеснула руками.

— Ты подавился?!! — воскликнула она и уже собралась похлопать его по спине, но Эркин оттолкнул ее руку. Лицо его покраснело. Дронго резко поднялся со своего места. Бокал упал на пол, разбившись на мелкие осколки.

Эркин продолжал кашлять, задыхаясь. Дронго подошел ближе, уже понимая, что племянник вовсе не поперхнулся. Следом за ним поднялся со своего места и Роберт.

— Ему плохо! — крикнула супруга Эркина. — Помогите же ему!

Дронго быстро налил стакан воды и протянул Эркину. Но тот уже задыхался и судорожно пытался что-то сказать.

— Помогите мне! — крикнул Дронго, обращаясь к Роберту. — И возьмите бутылку водки!

Он подхватил уже теряющего сознание Эркина и потащил его к выходу. Играла громкая музыка, и почти никто не обратил внимание на то, что произошло. А те, кто увидел Дронго и Эркина, решили, что молодой человек просто выпил лишнего.

— Мне плохо, — сумел выдавить из себя Эркин, снова сгибаясь от мучительного кашля. Его всего трясло.

В туалете Эркин склонился над раковиной. Он по-прежнему задыхался и кашлял. Роберт вошел следом, протягивая начатую бутылку водки.

— Поднимите его лицо, — приказал Дронго.

Роберт откинул голову Эркина назад, и Дронго стал вливать в рот молодого человека водку.

— Что вы делаете? — испуганно спросил Роберт.

— Пытаюсь его спасти, — пояснил Дронго. — Держите его крепче. Только осторожно. Он сейчас начнет все возвращать.

И, словно услышав его, Эркин наклонился над раковиной. Его мучительно рвало. В туалет вбежал хозяин свадьбы Мирза и еще один пожилой незнакомый мужчина.

— Что случилось? — закричал Мирза, подбегая к ним.

— Ему плохо, — невозмутимо сообщил Дронго.

— Он что-то выпил? — спросил незнакомый мужчина, наклоняясь к Эркину.

— Вы врач? — уточнил Дронго.

— Да, — кивнул незнакомец.

— Закройте дверь, — крикнул Мирза, увидев, как кто-то хочет войти.

— Я влил в него сейчас почти полбутылки водки, чтобы нейтрализовать возможное отравление. Чтобы вызвать рвотную реакцию, — пояснил Дронго.

— Вы могли его убить, — покачал головой врач. — Разве так можно?

— Мне кажется, он чем-то отравился, — пояснил Дронго. — У меня не было другого выхода.

— Этого не может быть, — сразу возразил Мирза. — Здесь лучшая кухня. Все проверяется...

Эркин продолжал кашлять, упираясь руками о края раковины. Затем качнулся и упал на пол. Врач наклонился над ним.

— Срочно вызовите «Скорую»! — распорядился он.

— Только тихо, — попросил Мирза. — Не нужно пугать гостей и срывать свадьбу. Мы его осторожно вынесем.

— Правильно, — согласился врач, доставая телефон.

— По-моему, он потерял сознание, — мрачно произнес Дронго. — Смотрите, чтобы он не умер.

— Из-за пищевого отравления сразу не умирают, — снисходительно заметил Мирза.

— Не похоже на обычное пищевое отравление, — мрачно заметил врач, прощупывая пульс у лежащего на полу Эркина.

— Я прикажу все проверить на кухне, — пообещал Мирза.

— Не нужно, — сказал Дронго. — Ведь больше никто из гостей не отравился, не так ли? Вряд ли виновата кухня.

— Все-таки ваш поступок был очень рискованным, — покачал головой врач. — Почему вы сразу решили, что он отравился?

— Не он отравился, а его отравили, — спокойно поправил Дронго, сделав ударение на слове «его». — Скорее везите его в больницу. Я надеюсь, его удастся спасти. Я должен вернуться к нашему столику.

Он достал носовой платок и, намочив его, почистил рукав. Мирза и Роберт в оцепенении следили за экспертом. Они были шокированы его последней фразой.

— Может, вам лучше снять его, — предложил Роберт. — Почти все мужчины уже сняли пиджаки. Достаточно жарко. Никто не обратит внимание.

— Ничего. Я думаю, можно и так, — ответил Дронго и обратился к врачу: — Как у него пульс?

— Немного учащенный... В больнице возьмут анализы и выяснят, от чего именно он отравился.

— Чем именно его отравили, — упрямо поправил Дронго.

— Почему вы считаете, что его отравили? — нахмурился Мирза.

— У меня слишком большой опыт, чтобы поверить в простую случайность, — ответил Дронго. — От обычного пищевого отравления Эркин вряд ли бы потерял сознание. Вы раньше что-нибудь подобное видели? А вы, доктор, видели?

— Я кардиолог, а не токсиколог, — недовольно отозвался врач. — В больнице разберутся. А я сейчас займусь тем, что промою ему желудок и дам нужные лекарства.

— Да, вы правы, — кивнул Дронго. — Моя помощь более не нужна.

— Даже не представляю, что я скажу его дяде! — встревоженно произнес Мирза. — Какая неприятность!

— Я пойду с вами, — добавил Роберт.

Когда они вышли, то увидели стоявших у дверей Назу и еще двух женщин.

— Что с ним?! — Наза бросилась к ним. — Как он себя чувствует?

— Все нормально, — успокоил ее Дронго. — Обычное отравление. Наверное, сок был уже с истекшим сроком годности. Или водка не очень качественная. С ним сейчас врач, он вызвал «Скорую помощь». Промоют желудок, и через день-два он вернется домой.

— Спасибо, — с облегчением ответила Наза. И, уже обращаясь к подругам, гневно добавила: — Вот так бывает! Такой дорогой ресторан, но даже здесь могут отравить людей паленой водкой! Как не стыдно такую предлагать гостям?! Я обязательно расскажу всем, чтобы больше сюда не приходили.

— Кажется, после ваших слов это заведение станет банкротом, — тихо заметил Роберт. — Вы действительно убеждены, что его отравили? Но зачем? Кому это было нужно?

— Я сегодня увидел его первый раз в жизни. А вы хорошо знаете эту семью. Вам легче судить, кто и зачем хотел его отравить.

— У них, конечно, очень своеобразная семья, но такое... Не могу даже предположить, — признался Роберт. — И еще я подумал...

Он остановился, посмотрел на своего собеседника. Дронго заметил, что Роберт изменился в лице.

— И еще вы подумали, что его отравил кто-то из сидевших за нашим столом? — пришел на помощь Дронго.

— Ну... это уже слишком... К нам подходило слишком много людей. Скорее всего, преступник был среди них.

Они вошли в зал и направились к своему столику. Их сразу засыпали вопросами. Только Джил и Лиана молчали. Роберт что-то негромко пояснил своей супруге. Дронго сел рядом с Джил, зная, что она никогда не позволит себе задавать вопросы при посторонних. Он успокоил соседей, объяснив, что Эркин поедет в больницу на промывание желудка. Дронго увидел, что осколки бокала и лужу разлитого сока уже убрали, пол тщательно вытерли. Он поморщился. Это была его ошибка. Нужно было попросить не убирать осколки бокала. Но было поздно.

Наза так и не вернулась за стол, решив ехать с мужем в больницу. Минут через сорок к ним подошел Мирза.

— Он уже в больнице, — выдохнул он. — Кажется, все нормально. Ему делают промывание желудка. Предварительный диагноз — отравление алкоголем, но ничего страшного. Я даже не представляю, что бы я сказал его дяде, если бы он умер.

— Да, это была бы большая трагедия, — вежливо согласился Дронго.

Когда Мирза отошел, Лиана обратилась к нему.

— Мы можем узнать, что он вам сказал?

— Говорит, что все в порядке. Эркин уже в больнице. Судя по всему, ничего страшного.

— Но вы так суетились...

— Я просто испугался.

— Странно. Я полагала, что при вашей профессии вы не из пугливых.

— Может, наоборот. Знание порождает скорбь.

Джил, сидевшая между ними, молча слушала этот диалог.

Лиана пожала плечами.

— Вы не согласны? — спросил Дронго. Он видел, как подслушивает их разговор Роберт и при этом очень нервничает.

Лиана нахмурилась. И перешла на итальянский.

— Не совсем. Вы же видели, как он общается с людьми. Для такого наблюдательного человека, как вы, это было слишком очевидно.

— Очевидно что?

— Рано или поздно это должно было случиться. У них слишком необычная семья.

— Мы завтра едем к ним, — сдержанно напомнил Роберт, произнеся эту фразу на грузинском. Очевидно, он тоже немного понимал итальянский, и ему не совсем нравился разговор между супругой и экспертом.

— Нужно, чтобы вы тоже приехали и сами во всем убедились, — не унималась Лиана.

Роберт дернулся. Возможно, даже он незаметно толкнул супругу, чтобы прекратить этот разговор.

Когда они возвращались в машине домой, Джил осторожно спросила:

— Обязательно надо было так бурно реагировать на его отравление? Или это было нечто иное?

— Боюсь, что его отравили. Я так думаю.

— Кто-то из сидящих за столом?

— Не знаю. Пока не знаю. Но что-то меня смущает. Понимаешь, когда действительно хотят убить ядом, спасти человека практически невозможно. Он умирает сразу в течение нескольких секунд. Например, от цианида. Полторы-две секунды. Я бы даже не успел к нему подбежать.

— Тогда, может, это было обычным пищевым или алкогольным отравлением?

— Тоже не похоже. Слишком сильные симптомы. И слишком быстро все произошло. Он выпил гранатовый сок и выпустил бокал из рук... Мне показалось это достаточно странным. А перед этим к нему подошло много людей. Среди них мог оказаться человек, который незаметно положил в его бокал яд.

— Я не совсем понимаю, — призналась Джил. — С одной стороны, ты не веришь, что это была попытка отравления. А с другой — почти уверен, что Эркина отравили. Как тебя понимать?

— Пока не знаю. Но уверен, что все именно так, как я тебе говорю, — мрачно ответил Дронго.

— И еще я не поняла намеки Лианы. Мне показалось, что ей не нравится этот молодой человек. В какой-то момент я даже подумала, что кто-то из этой пары хотел бы от него избавиться раз и навсегда.

— Если Эркин не нравится Лиане, это еще не значит, что она обязана его отравить, — улыбнулся Дронго.

— Тебе виднее, — сдержанно ответила Джил.

Больше на эту тему они не говорили. Когда ранним утром раздался телефонный звонок, они еще спали. Дронго взглянул на часы. Было около девяти часов утра.

— Слушаю, — недовольно сказал Дронго.

— Доброе утро, — услышал он уже знакомый голос Эльбруса Алхасова. — Мне стало известно о том, как вы вчера помогли моему племяннику. Хочу вас лично и от всей души поблагодарить.

— Не за что. Как он себя чувствует?

— Нормально. Я только что говорил с его лечащим врачом. Эркин сейчас спит. Врачи считают, что он должен несколько дней побыть в больнице. Я это всецело поддерживаю. Неделя минимум! Пусть парень как следует вылечится. Отлежится, наберется сил. Не надо торопиться!

— Надеюсь, что все пройдет без последствий, — ответил Дронго.

— С ним ничего страшного не случится. Он молод и здоров. Ну, а теперь я хочу воспользоваться случаем и снова пригласить вас к нам в Исмаиллы. Мы приготовили несколько ягнят, и я выписал повара из Баку. Лучшего специалиста города! Завтра с утра мы начнем отмечать день рождения моего сына. И если вы приедете к нам сегодня, вся наша семья будет безмерно счастлива.

— Мы сще не решили, — уклончиво ответил Дронго.

— Мы соберемся очень узким кругом, — настаивал Алхасов. — Только моя семья, наши друзья из Грузии и вы.

— Семья из Грузии — это Роберт с Лианой? — уточнил Дронго.

— Да, именно они. Так вы приедете? Я буду вас ждать!

Дронго положил телефон и уже хотел было откинуться на подушку, как услышал голос жены из женской спальни:

— Так мы поедем?

Они с Джил всегда спали в разных комнатах. Это была давняя привычка Дронго, так как он не мог выносить какого-либо присутствия рядом, когда засыпал. Мать всегда говорила ему, что он спит как волк, чутко прислушиваясь к любым звукам. И никто не мог войти в его комнату, чтобы он не проснулся. Джил знала об этой его особенности. В совместных поездках они редко когда брали номера double room, чаще каждый ночевал в своем отдельном номере.

Привычка Дронго спать в одиночестве брала верх. Что было не совсем нормально для женатого человека. В первые годы Джил обижалась, потом смирилась с этой привычкой.

— А как ты думаешь? — спросил Дронго.

— Ты уже все решил, — ответила Джил, — думаю, что мы будем готовы выехать через час.

Он в который раз подумал, что Джил знает его гораздо лучше, чем кто-либо. Возможно, даже лучше его самого.

Глава 3

Рано утром они выехали в Исмаиллы. Это был город, находившийся в ста восьмидесяти километрах от столицы. Первые упоминания об этом городе были еще в первом веке нашей эры, когда район входил в состав Албанского царства. В шестом веке рядом с городком появилась крепость Джеваншир-гала, названная по имени правителя Албании. В переводе с тюркского — Молодой Лев. Крепость находилась в селе Талыстан, рядом с городом. В этом районе жили азербайджанцы, таты, лезгины, курды, молокане.

По дороге пришлось сделать небольшую остановку, чтобы перекусить и выпить крепкого ароматного чая, который в этих местах традиционно заваривали с чабрецом.

В районе почти каждый знал, где находился дом Эльбруса Алхасова. Чиновники такого ранга и масштаба курировали группу районов, выходцами из которых они являлись. В Баку любят рассказывать байку о том, как один из высокопоставленных чиновников, проезжая мимо красивой виллы, обратил на нее внимание. И послал водителя купить эту виллу за любые деньги. Находившиеся в доме охранники пояснили, что вилла не продается ни за какие деньги. Начался безрезультатный торг. Раздосадованный водитель, предлагавший большие деньги, в конце концов решил уточнить, кому именно принадлежит эта вилла. И каково было его изумление, когда он узнал, что она принадлежит его хозяину. Просто тот владел таким количеством домов и земли, что напрочь забыл о существовании этой виллы. Возможно, это анекдот, но в нем есть и некий сокровенный смысл.

Дом Алхасова находился на окраине села. Это был даже не дом, а целое поместье, занимавшее два гектара. Кроме большого двухэтажного дома, похожего на виллу богатого европейца, здесь еще было множество особняков, в том числе гараж на шесть автомобилей, дома для прислуги и для охранников. Здесь же стояла собственная вышка мобильной связи и телевидения, голубыми заплатками блестели два больших открытых бассейна и специально сооруженный пруд, окруженный буйно растущей зеленью. Словом, эта вилла могла легко дать фору итальянскому или испанскому нуворишу, проживающему где-нибудь на юге Средиземноморья. Джил обратила внимание на камеры, стоявшие над воротами. Высокая стена отделяла поместье Эльбруса Алхасова от жителей села и всего остального мира.

Машина проехала по асфальтовой дороге к дому. У дверей их встречал сам хозяин. Он чуть прихрамывал. Выше среднего роста, седой, с резкими, словно высеченными из камня, чертами лица, крупным носом и глазами немного навыкат. Он был в светлых брюках и разноцветном джемпере. Эльбрус радостно поднял руки, увидев выходившего из машины гостя и его супругу.

— Добрый день, — приветливо произнес Эльбрус, протягивая руку. — Я так рад, что вы приехали. Столько рассказывал детям и племянникам про вас. Очень рад.

— Спасибо, — Дронго отметил крепкое рукопожатие хозяина дома, которому было далеко за пятьдесят. Эльбрус церемонно поцеловал руку Джил и провел их в дом.

— Вечером будет скромный ужин у бассейна, а завтра начнем отмечать в узком кругу, — пообещал хозяин. – Наш знаменитый кулинар приедет завтра утром и сразу начнет свою работу. Он обещал нам много сюрпризов. Его рекомендовал сам Таир Амирасланов.

Дронго знал, что Эльбрус говорит о руководителе кулинаров республики, одном из самых известных профессионалов страны.

– Не сомневаюсь!

Дронго видел невозмутимое лицо Джил и понимал, что у нее будут вопросы. В большой прихожей их встретила худая женщина лет пятидесяти. У нее были узкие глаза и типично азиатское лицо. Возможно, среди ее предков были и те, кто в течение многих тысяч лет волнами накатывался на местное население, пытаясь его завоевать.

– Наша домработница Лида, – представил ее Эльбрус. – Она вам все покажет. Ваша комната наверху.

Лида молча кивнула. Сверху по лестнице спускался молодой человек, удивительно похожий на отца. Только гораздо стройнее и ниже ростом. Он был в белом костюме и черной водолазке.

– Это наш именинник Керим, – представил сына Алхасов. – Керим, это тот самый эксперт, о котором я тебе говорил. Как видишь, он принял мое предложение и приехал к нам в гости. Хотя ты и не верил.

Молодой человек кивнул в знак приветствия. Дронго протянул ему бутылку вина в деревянном ящике.

— Хотя заранее нельзя поздравлять, но я вас поздравляю, — сказал он. — Это «Шато Мутон Ротшильд» пятидесятилетней выдержки. На бутылке — специально нарисованная для этого вина картина Миро. Из моей собственной коллекции. Надеюсь, вам оно понравится.

— Большое спасибо, — вместо сына сказал отец, забирая подарок. Керим просто кивнул еще раз, даже не посмотрев на бутылку. На его пресыщенном лице ничего не отразилось. Дронго подумал, что теперь количество неприятных вопросов от Джил резко возрастет.

— Очень приятный подарок, — произнес отец, явно раздосадованный поведением своего неблагодарного сына. — Надеюсь, он когданибудь начнет понимать толк в хорошем вине.

Сын пожал плечами, ничего не ответив.

— Я поставлю в холодильник, — пообещал хозяин дома. — А наши грузинские гости уже приехали?

— Тебя только они интересуют? — наконец подал голос Керим.

— Нет, — мрачно ответил отец. — Я всего лишь хотел уточнить.

— Они здесь, — раздраженно сказал сын. — Куда они денутся? Приехали еще два часа назад. Сейчас гуляют по территории. Как будто в первый раз здесь...

– Ну и пусть гуляют, – примирительно сказал Эльбрус. – А вы поднимайтесь в свою комнату, а через три часа у нас будет ужин, – торопливо обратился он к гостям, словно опасаясь, что сын скажет еще что-нибудь неприятное. – Если проголодались, то я распоряжусь что-нибудь принести. У нас и без специалиста из Баку прекрасно готовит наша Шукуфа.

– Спасибо, не нужно, мы пообедали в дороге, – ответил Дронго. – Увидимся за ужином.

Вместе с Джил он повернулся и направился к лестнице. Наверняка отец и сын за его спиной сейчас обменивались не очень дружелюбными взглядами.

Лида показала гостям на дверь крайней комнаты.

– Для вас все приготовили, – сообщила она.

– Сколько у вас комнат для гостей? – поинтересовался Дронго.

– Четыре в этом крыле, – ответила Лида, открывая дверь. – В другом крыле спальная комната хозяина дома, его кабинет и две комнаты – сына и его младшего брата. А дочь с мужем живут в этом крыле. Четвертую комнату готовили для племянника, но он не приедет.

– Для Эркина? – уточнил Дронго.

Лида взглянула на него. Лицо оставалось невозмутимым, но по нему пробежала едва уловимая тень.

— Вы с ним знакомы? — спросила она.

— Вчера вместе были на свадьбе.

— Значит, это вы были там, — произнесла она глухим голосом.

— Да, мы были вместе.

— Понятно... Можете войти.

Комната была большая, метров сорок. Большая двуспальная кровать. Письменный стол с двумя стульями, тумбочки со светильниками, два массивных кресла и два торшера. Джил прошла дальше и заглянула в ванную комнату. Затем повернулась к Дронго.

— Теперь что-нибудь объяснишь?

— Что именно?

— Зачем мы сюда приехали?

— По-моему, ты знаешь.

— Ты все еще уверен, что вчера этого молодого нахала хотели убить?

— Что-то мне подсказывает, что если бы Эркина хотели убить, то непременно убили бы. Ошибаюсь я или нет — покажет время.

— И ты хочешь найти здесь ответ на этот вопрос. Все как обычно, — добавила Джил.

— Ты и это знаешь, — кивнул он.

— Откуда такая роскошь в этой провинции? — поинтересовалась она. — Ты загляни в ванную. Такой дом стоит не менее десяти-двенадцати миллионов долларов. Местные чиновники так здорово живут? Или он олигарх?

— В этой стране нет олигархов, — усмехнулся Дронго. — Здесь разбогатеть могут лишь государственные чиновники, которые присваивают гектары земли и возводят на них подобные виллы. А десять миллионов долларов — не столь большая сумма для человека, который был почти четверть века вице-премьером.

— Культурный и образованный человек, а имеет такую своеобразную семью. Кажется, сын еще более наглый, чем племянник. Как он разговаривал со своим отцом? А как можно было не взять из твоих рук подарок? И мы приехали сюда отмечать день рождения этого юного хама?

— Ты ведь знаешь, зачем мы приехали. Тебе будет полезно увидеть местных нуворишей и познакомиться с их нравами, — пошутил Дронго.

В этот момент снизу донесся чей-то крик. Дронго открыл окно и посмотрел вниз. Керим кричал на человека, стоявшего перед ним. То был коренастый мужчина среднего роста с идеально круглой, бритой наголо головой, похожей на бильярдный шар. Он был во всем черном. Рядом с Керимом стоял еще один незнакомый молодой человек высокого роста.

— Сколько раз можно говорить, Рагиб, чтобы ты все записывал! Нам нужен обычный аспирин в таблетках, а не шипучий. В таб-лет-ках!! Салхаб не может принимать растворимый аспирин, неужели так сложно это запомнить?!

— Я сейчас привезу другой, — пообещал Рагиб, — не нужно так кричать.

— Я не кричу. Просто я помню, что ты плохо слышишь.

— Слышу достаточно хорошо. Я просто не понимаю, почему ты так злишься. Откуда такая любовь к дяде? Ты его всегда не очень любил. Отец поэтому не подпускает тебя к нему.

— Хватит, — отмахнулся Керим. — Лучше бы молчал. Или будешь учить меня, как любить родственников? Тоже мне добродетельный тип. Давай привези нужное лекарство. И не перепутай остальные таблетки.

— Я уже все заказал в Исмаиллах, — ответил Рагиб, поворачиваясь к машине. Черный «БМВ» стоял рядом с домом.

— Вот видишь, — громко сказал Керим, обращаясь к стоявшему рядом молодому человеку, когда Рагиб отъехал. — Если на них орешь, они сразу всё понимают. Сейчас привезет нужные таблетки.

— Он становится неуправляемым.

— Отец дал ему слишком много воли, — зло сказал Керим. — Давно пора его выгнать отсюда. Эта гнида столько лет сидит на шее нашего отца. И вообще, всех нужно собрать. Ты тоже не справляешься.

— Я думаю, в этот раз он не перепутает, — примирительно произнес собеседник. — Не забывай, сколько лет Рагиб работает у твоего отца.

— С детства вижу его рожу. Мог бы и не напоминать.

— Салхаба нужно снова показать врачам.

— Конечно, нужно. Отправим его опять в Грузию. Пусть Лиана похлопочет. Иначе зачем мы ее столько терпим тут? Только и умеет, что своим телом работать, — усмехнулся Керим.

Незнакомец никак не отреагировал на эти слова.

— Поэтому всем этим дамочкам я не доверяю, — жестко заметил Керим. — Отец все время хочет меня женить. А мне противно. Потому что всех интересуют только деньги Эльбруса Алхасова. Любую бабу только это и волнует. И особенно ее родственников. Все хотят подложить своих дочек в мою кровать. А тебе повезло, так ведь? Охмурил мою сестру, в доверие к Эльбрусу втерся. Живешь теперь припеваючи, так? Или я не прав? Хотя, по большому счету, я все время удивляюсь, как ты терпишь эту злую суку.

— Я ее люблю, — пробормотал молодой человек.

— Ладно, Эльнур, расскажи это кому-нибудь другому, только не мне, — рассмеялся Керим. — Какая еще любовь? Откуда? Разве я не знаю, как наши отцы давным-давно обо всем договорились? Ты подкаблучник, никогда с ней не споришь и спокойно живешь в свое удовольствие. Деньги есть, работу тебе сделали. Что еще нужно для счастья? Когда-нибудь она родит тебе детей, и все у вас будет в шоколаде. Ты ведь хочешь детей?

— Да, — кивнул Эльнур. — Врачи говорят, что дети будут. У нас все в порядке.

— С чем тебя и поздравляю. Кстати, сегодня приехала еще одна парочка. Известный эксперт, про которого говорил отец. Нашел время его приглашать. А жена у него симпатичная, и я бы с удовольствием с ней познакомился поближе...

Дронго закрыл окно.

— Я больше не буду спрашивать, зачем мы сюда приехали, — невозмутимо произнесла Джил, которая тоже все слышала. — Наверное, для того, чтобы я могла ближе познакомиться с этим именинником.

Дронго сумел сдержать улыбку. Уступив Джил ванную комнату, он вышел в коридор. Ковры на полу приглушали шаги. Дронго решил прогуляться вокруг дома. Уже спускаясь на первый этаж, он услышал, как хозяин дома кричит кому-то по телефону. Видимо, Эльбрус не закрыл дверь в кабинете.

— Сделай, как я сказал, и не нужно ничего больше обсуждать.

Очевидно, кто-то ему возразил, и тогда Алхасов снова закричал:

— Это я решаю, как вести дела. В этом доме пока я хозяин. И ты меня не переспоришь. Лечись, пока не выздоровеешь.

Дронго обернулся. Лида стояла за его спиной. Как бесшумно она подошла! Молча стояла и смотрела.

— Я хочу спуститься вниз и погулять.

Лида не произнесла ни слова. Она проводила его долгим взглядом. Он быстро вышел из здания и увидел Роберта, курившего неподалеку. Подошел к нему.

— Добрый день, — поздоровался Дронго.

— Здравствуйте, — Роберт протянул руку. — Вы все-таки приехали.

— Эльбрус настаивал, — пояснил Дронго. — Мы решили принять приглашение.

— А я почему-то был уверен, что вы приедете, — признался Роберт, — после вчерашнего инцидента. Вы ведь эксперт, и вам интересно узнать, кто и почему хотел убить Эркина.

— Вы наблюдательны.

— Не самое худшее качество для банкира, — усмехнулся Роберт.

— Согласен. Вы давно знакомы с хозяевами?

— Уже несколько лет. Еще когда была жива супруга Эльбруса, — пояснил Роберт.

— Да, я слышал, что она умерла, — сочувственно кивнул Дронго. — Вас, очевидно, связывают коммерческие интересы.

Нельзя было не заметить, как вспыхнули глаза Роберта. Он бросил окурок прямо на газон.

— Конечно, — сказал он. — Все инвестиции в нашу экономику господин Алхасов проводил через наш банк.

— А его сын Керим? Где он сейчас работает? Кажется, он учился в Англии?

— Сразу в двух вузах и ни один не закончил, — махнул рукой Роберт. — Наглый, самодовольный и невоспитанный молодой человек. Они с Эркином похожи. Оба считают, что деньги могут решить любые проблемы. Вот такое у нас молодое поколение. Керим, бесцельно проболтавшись в Англии, вернулся сюда и сразу получил хорошее место в компании отца. А потом занялся продажей автомобилей. Пока отец был вице-премьером, у Керима не было никаких проблем с таможней и налогами. Как только Эльбрус ушел, у сына начались проблемы. Керим продал свой бизнес... Ему всегда не хватает денег, и он вечно клянчит их у своего отца.

— Он не женат?

— Дважды был обручен, но каждый раз срывалось. Он не тот человек, с которым можно строить свою жизнь. И, несмотря на деньги отца, девушки это сразу понимали.

— Я не был с ним знаком, но, видимо, с таким характером ему будет сложно в любом бизнесе.

— Это всегда так, — согласился Роберт.

— У Алхасова есть еще старшая дочь, — напомнил Дронго.

— Да. Эсмира. Тоже не подарок. Но ей повезло гораздо больше. Отец нашел ей мужа, который боится даже пикнуть в присутствии своей супруги. Эльнур работает в компании тестя и выполняет любые прихоти супруги.

— А Салхаб — это, очевидно, младший брат хозяина дома?

— Откуда вы о нем знаете? Эльбрус не любит о нем говорить.

— Я слышал, как сын хозяина дома распекал водителя за то, что тот что-то напутал с лекарством для Салхаба. И понял, что речь идет о младшем брате Эльбруса.

— Верно. Но они не любят распространяться на эту тему. И вы не задавайте ненужных вопросов. Салхаб ведет себя как нормальный человек, пока не случаются приступы. Это младший брат Эльбруса Алхасова. Третий брат был отцом Эркина. А этот болеет с детства.

У него случаются эпилептические приступы, и Алхасов лечит его уже много лет. Но ничего не помогает. Бывает только улучшение на некоторое время. Я все это знаю потому, что Салхаба часто возили в Грузию на консультацию к нашему академику Сараджашвили. Лиана тоже пыталась помочь. Но старик уже умер, и с тех пор Салхаба держат только на таблетках. Правда, болезнь наложила на него свой отпечаток. Он очень неприветливый тип. Озлобленный, завистливый, недоверчивый. Во всем видит только плохое.

— Понятно...

— Эльбрус трогательно заботится о своем младшем брате, — продолжал Роберт. — Говорят, что их мать, умирая, наказала Эльбрусу опекать младшего брата, и он дал ей слово. Но некоторые рассказывают, что сам Эльбрус виноват в болезни своего брата. Якобы он случайно нанес травму брату в детстве. Но, возможно, это только слухи. Слишком много людей не любят Алхасова. За то, что сильный и богатый. Хотя, учитывая, скольких людей он разорил и как жестко давил конкурентов, кто-то может сказать, что это даже бич божий. Наказание за его поведение в последние годы.

— Вы входите в число тех, кто говорит про бич божий? — в упор спросил Дронго.

Роберт даже вздрогнул от неожиданности.

— Я говорю не о себе, — нервно произнес он. — Я лучше пойду в дом, становится прохладно.

Они одновременно повернулись в сторону дома и увидели Лиду, стоящую буквально у них за спиной.

— Черт возьми, — вырвалось у Роберта. — Так можно получить внезапный инфаркт от испуга. Я уже забыл, что вы всегда неожиданно оказываетесь там, где вас не ждут.

Он поспешно пошел в дом, уже не оглядываясь. Лида стояла и молча смотрела на Дронго.

— Кажется, мы все вам не очень понравились, — пробормотал он.

— Да, — неожиданно разомкнула губы Лида, — вы все мне не нравитесь.

— Почему?

— Вы знаете почему. Вы же были вчера на свадьбе.

— И это как-то меня компрометирует?

— Да!

Больше она ничего не сказала и, повернувшись, пошла в дом.

«Нужно будет завтра вечером уехать, — подумал Дронго. — Сразу после ужина».

Он не мог даже предположить, как развернутся события уже сегодня ночью.

Глава 4

Поднимаясь по лестнице, он снова услышал крики. Прислушался. Теперь это был женский голос. И доносился он из левого крыла здания, где не могло быть женщин. Он помнил, что в правом крыле была их с Джил комната, жили грузинские гости и дочь хозяина дома с мужем. Но голос явно принадлежал женщине. Она громко, очень громко, почти истерично вопила, даже не заботясь, что ее могут услышать. Дронго понял, что это была дочь хозяина дома.

— Ты старый дурак, — громко и нервно кричала Эсмира. — Вместо того чтобы угомониться, ты опять пригласил эту дрянь Лиану в наш дом. Тебе мало, что своим распутством ты довел маму до инфаркта. Тебе нужно добить всех и опозорить нас с Эльнуром.

— Пожалуйста, перестань! — пытался урезонить дочь Эльбрус. — Ты орешь на весь дом.

— И правильно делаю. Это мой дом. Кажется, ты записал его на меня. У тебя вечные проблемы. Ты просто дегенерат.

— Не смей меня оскорблять, — он все еще пытался защититься.

— Ты прекрасно знаешь, что я говорю правду. Это для всего мира ты всемогущий министр, вице-премьер и хозяин всего на свете. А я знаю, как ты подло поступил с нашей мамой и что мы с Керимом никогда не интересовали тебя. Хотя мой братец такой же мерзавец, как и ты. Тебя волнует только твой младший братец, этот дебил, которого давно пора сдать в сумасшедший дом.

— При чем тут мой брат?

— Ты прекрасно знаешь при чем. Он тебя ненавидит. Мама умирала, а вы уехали с ним в Тбилиси. И она умерла без тебя. Ты думаешь, что я когда-нибудь тебя прощу?

— Врач говорил, что она идет на поправку. Я должен был вернуться из Грузии через два дня. Никто не ожидал, что у нее случится повторный приступ.

— Я ожидала. Ты столько лет издевался над ней. Ездил на Лазурный Берег со своими дешевками. И не стыдился, когда ваши фотографии появлялись в журналах. Сколько она натерпелась, пока ты удовлетворял свою похоть. Зачем тебе нужна была семья, если ты собирался жить в свое удовольствие?! Весь город знал о твоих тайных квартирах и о твоих похождениях.

— Ты закончила? Теперь заткнись и слушай. Я все время о вас заботился. Устраивал вашу жизнь. И ты еще недовольна? Живешь как королева, в жизни ни одного дня не работала! Я назначил твоего мямлю мужа вице-президентом собственной компании! Мы с трудом терпим эту мокрицу, которая тебя так боится!

— Ты сам выдал меня за него замуж! — закричала Эсмира, теряя терпение. — Ты все и всегда сам устраивал. Заставил сделать меня аборт, когда я встречалась с Рауфом.

— А как я должен был поступить? Разрешить тебе рожать от этого нищего придурка?! — гневно спросил отец. — Чтобы ты сейчас умирала с голоду? Тоже мне, неоцененный гений. Где он сейчас? Бродяжничает в Германии. В какой-то музыкальной группе, бомж, без постоянного места работы и денег. Сначала решил стать художником, потом ударился в музыку. Ну как же! Талантливый человек талантлив во всем! А я скажу, что бездарь всегда и во всем бездарь. Тем более нищий бездарь. Ты действительно хотела себе такую жизнь?

— Такой не хотела. Я хотела счастливой жизни. Чтобы моя семья не была похожа на вашу с мамой. Чтобы не было дома постоянных скандалов.

— Просто ты отчетливо поняла: сказки закончились. Ты сама пошла на аборт после нашего разговора. Сама решила с ним больше не встречаться. А теперь обвиняешь меня? Неблагодарная дрянь.

— А за что я должна быть тебе благодарна? Ты разрушал все, к чему прикасался, — и Эсмира вышла из кабинета, громко хлопнув дверью.

Дронго понимал, что ему нежелательно встречаться с дочерью хозяина, пребывающей в таком состоянии, и повернулся, чтобы быстро спуститься по лестнице. Но уже на первом этаже она догнала Дронго.

— Кто вы такой? — отрывисто спросила она. На Эсмире был брючный костюм бежевого цвета. Она была на голову выше брата. Густая копна каштановых волос, несколько вытянутое лицо, чувственные губы. Нос как у отца, с характерной горбинкой. Глаза серые, сверкающие от бешенства.

— Добрый вечер, — вежливо поздоровался Дронго.

— Вы новый охранник? — уточнила женщина. — Тогда что вы делаете здесь? Кто разрешил вам сюда войти? Почему не сидите на своем месте? Я прикажу вас уволить.

— Простите. Я не новый охранник. Я ваш гость. Мы приехали на день рождения вашего брата по приглашению вашего отца.

Она осеклась. Было заметно, что ей стало неловко за подобный выпад.

— Извините, — пробормотала она. — Вы, наверное, тот самый эксперт, о котором говорил отец?

— Очевидно. Меня обычно называют Дронго.

— Извините еще раз. Я решила, что вы новый охранник. Неудивительно с вашей фигурой и ростом, — сделала комплимент Эсмира. — И не обижайтесь. У меня сегодня не самое хорошее настроение. Вы, наверное, слышали, как я... как я разговаривала с отцом?

— Нет. Я только вошел в дом. Но все равно спасибо. Теперь буду знать, что мои параметры позволяют внушать уважение у хулиганов и всяких забияк.

Она сумела улыбнутся. Улыбка у нее была приятной. Хотя чувствовалось, что она еще не совсем отошла после скандала с отцом.

— Неужели вы не слышали, как мы спорили наверху? — с сомнением уточнила Эсмира.

— Не слышал. Я был рядом с домом. И только вошел, когда вы спускались сверху.

— Мы иногда громко спорим, — сказала Эсмира, словно извиняясь. Ей было не очень комфортно, что посторонний человек мог услышать детали их нервного разговора. В этих местах дочь не имела права разговаривать с отцом в таком тоне. Во всяком случае, так считалось.

В комнате Дронго ждала Джил.

— Я слышала какие-то крики. Или мне показалось?

— Это был разговор отца с дочерью на повышенных тонах, — пояснил Дронго.

— Дочь невоспитанна так же, как и ее брат? — уточнила Джил.

— Они лишились матери, и дочь винила в этом отца. И еще отец не разрешил ей выйти замуж за любимого человека и заставил сделать аборт.

— И теперь она не может родить? — догадалась Джил.

— Видимо, да.

— Кажется, здесь все немного не в себе. Как будто попали в другую реальность.

— В каждой семье есть свои «скелеты в шкафах».

— Ты все еще считаешь, что мы должны остаться?

— Теперь не знаю. Я случайно услышал их разговор. Похоже, у них достаточно напряженные отношения. Она до сих пор не может простить ему смерти матери.

— Сын поэтому такой хамоватый?

— Не знаю. Большие деньги никогда не могут базироваться на нравственности или культуре. Из-за них люди часто становятся неприятными в общении. Так было всегда. Кроме того, отец уделял воспитанию детей не слишком много времени.

— И тем не менее мы сюда приехали.

— Таковы правила игры, — пояснил Дронго, — и все стараются их не нарушать. Мне очень нравится история, рассказанная Джеком Лондоном. Молодой человек подходит к столу, за которым играют четыре шулера. Он замечает, как раздающий взял себе четыре туза. Молодой человек тихо сообщает одному из игроков об этом, но тот не реагирует, лишь просит не мешать и отойти от стола. Тогда молодой человек рассказывает о шулерстве другому игроку, но тот тоже раздраженно отмахивается. Ничего не понимающий юноша подходит к третьему, чтобы предупредить его об обмане, как тот оборачивается к молодому человеку и снисходительно поясняет: «Ты ничего не понял, парень. Сейчас его время сдавать карты...» Понимаешь?

— Правила игры? — усмехнулась Джил.

— У тебя есть право сдать себе четыре туза, если ты на раздаче. Но каждый другой игрок твердо знает, что он сделает то же самое, когда раздача перейдет к нему. Ты помнишь мою любимую поговорку про культуру?

— Конечно, помню. «Культура — прививка от варварства. Но варварство способно разрушить любую культуру». Мне всегда нравились эти слова. Достаточно мудрые.

— Это комплимент? — удивился Дронго.

— Нет. Констатация, — парировала Джил.

К семи часам вечера они спустились к бассейну. Там уже включили фонари, призрачно освещающие площадку и накрытые столы. Один за другим на площадке появились Эльбрус Алхасов, его сын Керим, Роберт с Лианой. За столом уже сидел Рагиб. Несколько минут спустя рядом с Эльбрусом сел молчаливый человек, совсем не похожий на хозяина дома. У него были рыжеватые редкие волосы, круглое, неестественно-красное лицо. Только крупные глаза и полные губы указывали на его родство с Алхасовым-старшим.

— Мой младший брат Салхаб, — представил его Эльбрус.

Дронго поздоровался, и Салхаб неожиданно произнес:

— Мы с братом много о вас слышали и читали. Неужели вы можете раскрыть любое преступление?

— Не уверен, что любое, — пробормотал Дронго.

— Но пишут, что вы часто находили преступников в абсолютно безнадежных ситуациях, — настаивал Салхаб. Было заметно, что эта тема его волнует.

— Может быть, мне иногда везло, — ответил Дронго. — Хотя обычно преступники оставляют достаточно зримые следы, по которым их можно вычислить.

— Вы могли бы преподавать криминалистику на юридическом факультете, — не унимался Салхаб. Очевидно, он зациклился на этой теме.

— Не думаю, что из меня может получиться хороший преподаватель. Меня никто не стал бы слушать.

— Ваши уроки криминалистики могут быть достаточно интересными, — возразил Салхаб. — Я сам заканчивал юридический факультет.

— Мой брат несколько лет работал в управлении нотариата, — вмешался Эльбрус, — а потом перешел на другую работу. Теперь занимается бизнесом вместе со мной.

Керим громко фыркнул, не скрывая насмешки. Отец сурово взглянул на него, но ничего не сказал.

Лиана, усевшаяся рядом с Джил, тихо спросила на итальянском:

— Как вам здесь нравится?

— Своеобразное место, — призналась Джил.

— И своеобразные люди, — еще тише произнесла Лиана. — Здесь все не очень любят друг друга.

Словно поняв, о чем они говорят, Керим громко и недовольно спросил:

— Почему нет Эсмиры с Эльнуром? Они не хотят с нами ужинать?

— Может, она себя плохо чувствует, — примиряюще пробормотал отец. — Все-таки она недавно прилетела из Стамбула и еще не отдохнула как следует.

В этот момент из дома вышел Эльнур. Это был высокий молодой человек с правильными чертами лица.

— Почему один? — спросил Керим. — Твоя жена так плохо себя чувствует, что не может даже поужинать с нами?

— Она лежит, — пробормотал Эльнур, — ей надо немного отдохнуть.

— Может, ей вообще лучше вернуться в Стамбул? — зло поинтересовался Керим.

— Пусть отдыхает, — снова вмешался отец, — Рагиб, ты привез лекарства?

— Да, я заранее все заказал и купил, — ответил Рагиб, сидевший в конце стола, — и уже все отдал Эльнуру.

— Надеюсь, на этот раз не перепутал, — прошипел Керим.

— Я отдал все лекарства дяде Салхабу, — пояснил Эльнур.

— Жаль. Сильнодействующее снотворное нужно было оставить для моей сестры, — предложил Керим.

И в этот момент появилась Эсмира. Она переоделась в короткое белое платье. Вышла к столу, не глядя на присутствующих, в том числе и на мужа. Только кивнула Дронго и довольно бесцеремонно осмотрела Джил. Дронго обратил внимание на ее красивые натренированные ноги спортсменки.

— Всем привет, — сказала Эсмира.

Было заметно, как нахмурилась Лиана и как усилилось невидимое напряжение за столом. Очевидно, Эсмира была в этом доме особым источником напряжения.

— Мне не нужно снотворное, — очевидно, она слышала последнюю фразу брата. — Я прекрасно высыпаюсь. Лучше возьми его себе. Вместо порошка, который ты иногда нюхаешь, — громко отчеканила она.

— Еще скажи, что я контрабандист. Или даже убийца! — рассмеялся Керим. Но было заметно, как его задели слова сестры.

— Насчет убийцы не уверена, а вот насчет контрабандиста очень даже справедливо, — язвительно произнесла Эсмира.

— У нас дома гости, — сдержанно напомнил Эльбрус Алхасов. — Держите себя в руках. Ваши глупые шутки не все понимают.

Вышла женщина небольшого роста, закутанная в платок. Она разносила еду.

— А где Лида? — спросил хозяин дома.

Женщина молчала. Очевидно, это была Шукуфа.

— Она пошла домой. Вернется через час, — пояснил Рагиб. — Я как раз встретил ее, когда возвращался из аптеки.

— Нашла время, — недовольно пробормотал Алхасов. — Она ведь знала, что у нас гости. Может, она в домике для прислуги?

— Вот и Лида тоже садится нам на голову, — не удержавшись, прокомментировала Эсмира. — Все, кому ты помогаешь, в конце концов оказываются неблагодарными людьми. Или наглеют, как твой племянник.

— Это закон жизни, — вставил гадко улыбающийся Керим.

— Мы услышали ваши авторитетные мнения. А теперь замолчали, — отрезал отец.

Все постарались не обратить внимания на очередной выпад Эсмиры. Шукуфа принесла горячие кутабы. Заготовки были сделаны заранее, и теперь их подавали горячими. Кутабы были с мясом баранины, зеленью и сладковатой мякотью тыквы. В Баку в прежние времена это блюдо готовили из мяса верблюдов, но по всей стране предпочитали баранину.

— Давайте говорить о хорошем, — снова предложил Эльбрус. — Завтра приедет такой повар, что мы сразу забудем обо всем плохом. Будем помнить только хорошее. А Лиду я строго предупрежу, чтобы больше не уходила без моего разрешения. Она раньше никогда не позволяла себе подобного. Шукуфа одна не справится.

— Надеюсь, завтра ты не ждешь больше никого? — не унималась Эсмира.

— Если у меня была бы еще одна такая дочь, как ты, я бы умер от счастья, — отрезал Эльбрус.

— А я бы повесился, — добавил Керим.

Но никто не рассмеялся.

— Просто мыслящие люди имеют особый характер, — неожиданно изрек Салхаб.

— Сейчас позвоню этой дуре, — зло пробормотал Эльбрус. — Ее поведение уже выходит за рамки...

Он достал телефон, набрал номер. Не долго слушал.

— Телефон выключен, — сообщил хозяин дома. — Ну что ж, — он поднялся. — Давайте выпьем! Эльнур и Рагиб, разлейте всем вино. Выпьем за нашу семью, за наших родных и близких. Чтобы дядя Салхаб не болел. Чтобы

Эсмира стала чуть более спокойной, а Керим, наконец, женился.

На этот раз некоторые улыбнулись. Эльнур залпом выпил свое вино. Рагиб чуть пригубил. Керим опустошил бокал до половины. Роберт и Лиана тоже сделали несколько глотков. А Эсмира демонстративно не притронулась к своему бокалу. Алхасов нахмурился. Его начало раздражать такое вызывающее поведение дочери.

— Ты, видимо, считаешь, что можно себя так вести. Что это в порядке вещей, — гневно сказал он. — Но ты ошибаешься. Если не прекратишь этот спектакль, то вернись в свою комнату и завтра уезжай. Вместе с мужем уезжайте. Мне надоели твои выходки.

Эсмира молчала. Возможно, она поняла, что зашла слишком далеко. Эльнур испуганно посмотрел на тестя и на супругу, не решаясь ничего сказать.

— И вообще лучше думать о хорошем, — поддержал брата Салхаб. — Не обязательно сегодня вечером спорить.

Он поднял свой бокал.

— Не нужно, — предостерег Эльбрус, — тебе нельзя много пить.

— Сегодня можно, — отмахнулся младший брат. — Завтра моему племяннику исполняется двадцать пять. Такой юбилей. Осталось только несколько часов.

Салхаб залпом выпил. Очевидно, он хотел разрядить обстановку.

— Старое вино, — напомнил Эльбрус, — очень сильное. Напрасно ты его пьешь. В последнее время у тебя участились приступы. Не забывай об этом.

— Ничего страшного, — успокоил его младший брат, — раз в год можно себе позволить. И не забывай, что я не маленький мальчик, о котором ты обязан все время заботиться.

Шукуфа принесла очередные блюда, расставила их на столе. Это была традиционная долма из виноградных листьев, фаршированная мясом. Название произошло от турецкого слова «долдурма», что означало в переводе «наполнение».

— Я оторву голову Лиде, когда она вернется, — пообещал хозяин дома, — нашла время. Хорошо, что нас не очень много, и Шукуфа кое-как справляется.

— Она нас никогда не подводила, — напомнил младший брат.

— Хочу вам сказать, что сегодня за нашим столом сидит уважаемый эксперт, которого я пригласил к нам в гости, — Эльбрус поднялся со своего места, — он очень известный человек, с которым мы познакомились еще много лет назад. Хочу поблагодарить его за то, что принял мое приглашение. Предлагаю выпить за здоровье нашего гостя и его супруги.

Он поднял бокал.

Все присутствующие выпили, даже Эсмира. Салхаб тоже поднял бокал, но старший брат укоризненно покачал головой. Но не стал ничего говорить.

— А я предлагаю выпить за дядю Салхаба, — неожиданно произнес Эльнур, — здесь в семье все вас любят.

— Хороший тост, — кивнул Эльбрус, — и правильный. Наш Салхаб это заслуживает.

— Потому что я инвалид? — зло спросил младший брат.

— Потому что ты мой брат, — примирительно ответил Алхасов.

Он залпом выпил вино. Салхаб тоже выпил. На этот раз Эльбрус не возражал. Шукуфа принесла большую дымящуюся тарелку с пловом, к которому в качестве гарнира подавалась курица с вишней, барбарисом и жареным луком.

— Надеюсь, что завтра ночью мы закончим, и ты меня отпустишь, — напомнил Керим.

— Чтобы ты уехал в Баку убивать время со своими знакомыми оболтусами? — махнул рукой Эльбрус. — Пусть приедут итальянцы, и потом мы все решим. Нам еще нужно будет отметить твой юбилей в столице.

— Это совсем не обязательно, — пробормотал Керим, — я отмечу его в своей компании. Тебе не обязательно беспокоиться.

— Выпьем за наших грузинских гостей, — предложил хозяин дома, — вы знаете, как давно мы знакомы, и я очень ценю нашу дружбу. И помощь Лианы, и работу ее супруга.

Эсмира снова демонстративно не дотронулась до бокала. Отец мрачно взглянул на нее. Остальные выпили, даже Керим.

— Спасибо, — поднялся со своего места Роберт, — я хочу предложить ответный тост за хозяина дома и...

Он недоговорил. Салхаб неожиданно затрясся и начал задыхаться. Качнувшись, он медленно сполз со стула.

— У него приступ, — закричал Эльбрус, бросаясь к младшему брату.

Все сразу вскочили. Подбежали к Салхабу, у которого уже начинался очередной эпилептический припадок.

— Держите его плечи, — крикнул Эльбрус, — и вставьте ему что-нибудь в рот, чтобы он не задохнулся.

— Ему нельзя было столько пить, — напомнила Лиана.

— Раньше нужно было его остановить, — огрызнулся Рагиб.

Глава 5

Эльнур, Рагиб, Роберт и помогавший им Керим отнесли Салхаба в дом и положили на диван в гостиной. Лиана села рядом, проверяя его пульс.

— Все не слава богу, — тихо произнесла Джил, перейдя на итальянский, — мне казалось, что в традиционных восточных семьях больше уважают отцов. Во всяком случае, в Италии было бы невозможно, чтобы взрослые дети так нагло вели себя по отношению к родителям. Тем более в присутствии посторонних. Тебе так не кажется?

— В этой семье свои проблемы, о которых я даже не подозревал, — признался Дронго.

— За столько лет я уже привыкла, что на Кавказе традиционно уважают и почитают старших, — добавила Джил. — Видимо, бывают исключения.

— Помнишь, как у Льва Толстого: «Все счастливые семьи похожи друг на друга, каждая несчастливая семья несчастлива по-своему».

Оставшаяся за столом Эсмира выпила бокал вина. Она даже не поднялась с места, когда дяде стало плохо. Словно ее не интересовали подобные мелочи. Первым из дома вышел ее супруг.

— Он, кажется, успокоился, — сообщил Эльнур.

— Чем так мучиться... — недовольно скривилась Эсмира, но недоговорила, — столько раз его показывали врачам, постоянно пичкают лекарствами. Ты сам столько бегаешь, чтобы доставать ему все эти таблетки. А он все время теряет сознание. Не мог даже сегодня за столом себя сдержать.

— Он не нарочно, — попытался возразить супруг. — Припадок не поддается контролю.

— Когда человек болен, он должен лечиться в больнице, а не сидеть за столом с гостями, — повысила голос Эсмира, — и хватит мне возражать. Нужно убедить отца отправить брата в специализированную клинику. Сколько можно возиться с нашим дядей? Еще несколько таких приступов, и он погибнет в этой глуши.

Из дома вышел Керим. Сел за стол.

— Роберт с Рагибом понесли его наверх, — пояснил он. — Лиана говорит, что он уже успокоился.

— Значит, она еще на что-то годится, — насмешливо произнесла Эсмира.

— Это решать отцу, — усмехнулся Керим, — мне все равно. Пусть приедут эти итальянцы, подпишут контракт, и я сразу смотаюсь куда-нибудь. На Ибицу или еще куда-то.

— Тебя только развлечения интересуют, — колко заметила сестра, — а делами занимается Эркин.

— А ты так боишься, что все деньги отца достанутся нам с Эркином, что сразу прилетела, — рассмеялся Керим. — Думаешь, я ничего не понимаю?

— Я не хочу говорить на эту тему, — поднялась из-за стола его сестра. — Эльнур, идем за мной.

Они прошли в дом. Испуганная Шукуфа, собиравшаяся подавать очередное блюдо, не знала, как ей быть. Керим налил себе вина. Поморщился и выпил.

— Я посмотрел вашу бутылку, — сказал он, обращаясь к Дронго, — действительно прекрасное вино. Прочитал в Интернете про эти бордоские вина Ротшильдов. Спасибо за подарок.

— На здоровье. Я так понял, что всеми делами в компании вашего отца обычно занимается ваш кузен Эркин?

— Да. Отец доверяет ему больше, чем собственным детям, — недовольно сообщил Керим, — думаю, что правильно делает. Моя сестра явно не может ничем руководить, как и ее муж. Из меня тоже не очень хороший бизнесмен, как считает отец. Кому еще можно доверить? У него единственный выбор.

Только сыну своего брата. Поэтому отец и доверяет Эркину. Если бы не вчерашняя свадьба, он бы сейчас был с нами.

— Вы с ним говорили сегодня?

— Он сам позвонил. У него пока не все нормально. Наверно, переел или перепил. Обещает выйти к моменту приезда итальянцев. Хотя врачи советуют отлежаться. И отец недоволен. Наверное, сейчас там все будет делать Рагиб, и Эркину это очень не нравится.

Из дома вышли Эльбрус Алхасов, Рагиб и Роберт. Очевидно, Лиана осталась рядом с Салхабом. Эльбрус сел за стол и тяжело вздохнул.

— В последнее время действительно приступы стали чаще, — сказал он, словно обращаясь к самому себе.

— Куда делась Эсмира? — спросил он у сына.

— Ушла.

— Нашла время показывать свой характер, — сквозь зубы пробормотал Эльбрус, — вся в мать.

Затем обратился к Дронго:

— Извините, что так получилось.

— Я все понимаю, не беспокойтесь.

— Надеюсь, что завтра у нас все будет нормально. Придет наш кулинар, и мы устроим хороший ужин, — сказал Эльбрус, — а утром в понедельник мы можем поехать на охоту. Я слышал, что вы были чемпионом города по стрельбе.

— Из пистолета, — подтвердил Дронго. — Кто вам об этом рассказал?

— Баку — маленький город, — улыбнулся Алхасов, — почему Шукуфа медлит? Пусть несет следующие блюда. Рагиб, иди и поторопи ее.

— Но я не люблю охоту, — добавил Дронго.

— Первый раз вижу чемпиона по стрельбе, который не любит охоту, — пробормотал Эльбрус, — даже странно.

— Просто не люблю стрелять в живых существ, — признался гость, — мне кажется, это даже нечестно, когда у меня оружие, а у них ничего нет. Поэтому в Испании я даже не ходил на матадоров. Не люблю смотреть, как убивают быков.

— Никогда не понимал, чем тореадор отличается от матадора, — вставил Керим.

— Матадор — это тот, кто наносит главный и завершающий удар, — пояснил Дронго, —

а тореадор — это общее название всех выступающих на арене. Бывают еще рехонеадоры, это те, которые выступают на лошадях, есть еще новильеро, новички, убивающие молодых быков. И пикадоры. Это целая наука. Там свои регалии и свои отличия.

— Никогда не был на бое быков, — признался Керим, — нужно будет обязательно посмотреть.

В этот момент позвонил телефон Эльбруса. Он достал свой аппарат.

— Что случилось? — недовольно спросил он. — Нашли время звонить...

Очевидно, звонивший что-то ему сказал.

— Кто приехал? — не понял Эльбрус. — Хорошо. Пропустите. Да, пусть подъедут к дому. Покажите им, куда припарковаться.

Он убрал телефон.

— Все сходят с ума, — пробормотал он. — Приехал начальник полиции и хочет срочно со мной поговорить. Нашел время. Вот что значит, что я уже не у дел. В прежние времена он не посмел бы меня беспокоить. Звонил наш охранник. Они остановили его машину у въезда. Сейчас узнаем, зачем к нам приехал наш местный полицейский. Может, он узнал, что у нас в гостях известный эксперт и решил повидаться. Вы незнакомы с Фазилем Исмайловым, нашим начальником полиции?

— По-моему, нет. И я никому не сказал, что еду к вам. Полагаю, что он не мог приехать из-за меня, — сказал Дронго.

Машина подъехала к дому. Это был полицейский автомобиль. Джил нахмурилась. Она словно предчувствовала события, которые могут здесь произойти.

Из автомобиля вышел мужчина лет сорока в форме полковника. Несмотря на молодость, у него уже были достаточно внушительный пивной животик, мясистые щеки, крупные черты лица, начинающие седеть волосы. Очевидно, в молодости он занимался борьбой, что было заметно по его сломанным ушам.

— Добрый вечер, — вежливо поздоровался начальник полиции.

— Здравствуй, Фазиль, — поднялся из-за стола хозяин дома и пожал руку гостю.

— Простите, что беспокою, — сказал начальник полиции, — но мне нужно срочно с вами переговорить. Мы можем пройти в дом?

— Надеюсь, ты приехал не арестовывать меня? — пошутил Эльбрус.

— Не говорите так, — сразу ответил полицейский, — вы один из самых уважаемых людей в нашем районе и вообще в нашей стране.

Они прошли в дом. Наступило неловкое молчание. Из дома вышел Рагиб. Молча прошел и уселся за стол. Теперь за столом сидели четверо мужчин и Джил. Она почувствовала себя неловко.

— Может, я поднимусь в комнату, — предложила она, — кажется, становится прохладно.

Извинившись, она и Дронго поднялись из-за стола. Уже наверху Джил произнесла с разочарованием:

— Все-таки мы напрасно приехали. Странная семья со своими комплексами. В этой семье может произойти все что угодно. Ты, наверное, захочешь спуститься вниз, чтобы узнать, зачем приехал начальник полиции.

— Ты правильно поняла.

— Иди, — улыбнулась она, — тебя сложно переубедить. В конце концов, тебе нравится заниматься тем, чем ты занимаешься.

Он спустился вниз к столу. Шукуфа уже несла фрукты и подавала различные варенья. Здесь были варенья из грецких орехов, лепестков розы, белой черешни. Местные сладости — пахлава и шекер-бура. Рагиб разговаривал с кем-то по телефону. Роберт мрачно смотрел перед собой, а Керим продолжал жевать.

Из дома вышли Эльбрус и его гость. Алхасов успел надеть легкую куртку.

— Мы уезжаем на полчаса, и я скоро вернусь, — пояснил он всем сидящим за столом. Было заметно, как он нервничает.

— Что случилось? — спросил Роберт.

Вместо ответа Эльбрус махнул рукой. Затем, взглянув на Дронго, неожиданно спросил:

— Вы хотите поехать с нами?

— Что-то произошло?

— По вашей части, — пояснил Алхасов, — можете поехать с нами. Я думаю, Фазиль не будет возражать.

Он понизил голос и очень тихо произнес:

— У нас убийство. Давайте поедем.

— Я должен предупредить, — сказал Дронго, — одну минуту.

Снова поднявшись наверх, он вошел в комнату.

— Эльбрус попросил меня поехать с ним. Кажется, случилось какое-то происшествие. Поэтому приехал начальник полиции. Я поеду с ними и быстро вернусь. Только одна просьба. Закройся тут. Здесь достаточно массивные дубовые двери. И никому не открывай. Договорились?

— Он не сказал, что случилось?

— Что-то пробормотал, но я не совсем понял.

— Не совсем понял или не хочешь мне говорить?

— Пока ничего не знаю. Когда узнаю подробности, я все тебе расскажу.

— Как обычно. Поезжай. Только не оставляй меня надолго одну.

— Конечно.

Спустившись вниз, он вместе с Эльбрусом сел в полицейскую машину, на заднее сиденье. Фазиль, севший рядом с водителем, обернулся и с интересом взглянул на гостя.

— Вы тот самый эксперт?

— Меня обычно называют Дронго.

— Сейчас увидите, что произошло. У нас уже давно не было таких трагедий.

Автомобиль отъехал от дома.

— Произошло убийство, — пояснил Эльбрус, — как будто нарочно к вашему приезду.

— Мы случайно обнаружили. Мальчик увидел и сразу прибежал сообщить своим родителям. А те позвонили в полицию, — обернувшись пояснил начальник полиции.

— Нашли убитую Лиду, — выдохнул Алхасов, — даже не понимаю, кто мог совершить такое зверское преступление. Кому она мешала?

— У нее была семья? — уточнил Дронго.

— Никого у нее не было, — ответил Эльбрус, — она почти все время проводила в нашем доме. Столько лет работала! Была старая мать, в прошлом году умерла. Бедная Лида жила все время с ней. Хорошо, что старушка не дожила до сегодняшнего ужасного дня! Такое несчастье.

— У нее сестра живет в Баку, — напомнил Фазиль, — но здесь она жила одна. Мы не понимаем, почему она пошла в лес. Это на Лиду вообще не похоже.

— Как ее убили? — спросил Дронго.

— Задушили. Накинули веревку и задушили. Веревку мы не нашли, но по следу на шее понятно, каким было орудие убийства. Это произошло в лесу.

— Она обычно ходила домой через лес? — задал еще один вопрос Дронго, уже обращаясь к Алхасову.

— Нет. Никогда не ходила. Зачем? От нашего дома до села ровная дорога. Минут пять-шесть. Никогда через лес не ходила.

Дронго молча кивнул и больше не задал ни одного вопроса. Они подъехали к деревьям через несколько минут. Фазиль вышел первым, показывая дорогу. Они углубились в лесную чащу. Через двадцать шагов увидели несколько человек, стоявших у тела. Уже начинало темнеть. Дронго посмотрел на большое высохшее дерево, стоящее рядом. Частично открытая большая полость дупла сразу обращала на себя внимание.

Он обошел вокруг дерева, не обращая внимание на удивленные взгляды собравшихся, и только затем подошел к лежавшему телу.

— Это эксперт из столицы, — пояснил начальник полиции.

Дронго присел на корточки, разглядывая убитую.

— Веревку накинули и начали душить, — произнес он, — но, видимо, она доверяла убийце, так как повернулась к нему спиной, а он воспользовался моментом.

— Если бы мы еще знали, кто этот убийца, — сказал начальник полиции, — хотя в селе живут почти шестьсот человек, и она знала всех. Из них человек двести мужчины. Хотя молодых не так много. Сейчас будем проверять всех.

Дронго внимательно осматривал труп. Правая рука была скрючена, как будто она что-то держала.

— Судя по всем признакам, смерть наступила часа два-три назад, — задумчиво произнес Дронго.

Он поднялся, снова посмотрел на дупло дерева. Большое пустое дупло.

— У нее был мобильный? — спросил Дронго.

— Конечно, был, — ответил Алхасов, — я сам ей подарил.

— Его нет. Мы ничего не нашли, — сказал один из сотрудников полиции.

— Насколько я знаю, такое дупло формируется в дереве не меньше ста лет, — произнес Дронго загадочную фразу, обращаясь к начальнику полиции.

— Да, — кивнул тот, — я еще был совсем маленьким, когда мы сюда прибегали и встречались у дупла. Я ведь местный, мы жили в соседнем селе. А потом мои родители переехали в столицу.

— Я так и думал, — снова загадочно пробормотал Дронго, обходя дерево с разных сторон. Заглянул в дупло.

— Раньше здесь водились белки, — пояснил начальник полиции, — но не в этом дупле. Оно слишком большое и открытое. И находится на уровне человеческого роста. Любой мог сунуть туда руку. Но там все сгнило. Если вы думаете, что здесь мог быть какой-то тайник, то ошибаетесь. Одна труха. Дерево действительно очень старое.

— Нет, я так не думаю, — ответил Дронго, — я думаю иначе. Это место не видно с дороги. Оно достаточно надежно защищено деревьями. Но про дерево с пустым дуплом знают все, в том числе и дети. Судя по всему, она не ходила этой дорогой и не могла даже случайно здесь оказаться. Кроме того, она знала, что ее ждут в доме Алхасова, куда приехали гости. И где ее присутствие было необходимо. Значит, заставить ее сюда прийти могло что-то из ряда вон выходящее. А так как это место хорошо известно местным жителям, то можно почти наверняка предположить, что здесь было назначено свидание.

— У нее было любовное свидание, — усмехнулся Эльбрус, — что вы такое говорите. Простите меня, но здесь не Европа. Наши женщины в пятьдесят лет не назначают свиданий. И вы видели Лиду. Она была типичной старой девой. Мнительной, замкнутой, не доверяющей никому. Нет. Это абсолютно исключено.

— Я не сказал про любовное свидание, — возразил Дронго, — это могла быть деловая встреча.

— Деловая? У Лиды? Какие у нее могли быть дела?

— Именно поэтому я уверен, что прийти сюда ее вынудили исключительные обстоятельства, — продолжал Дронго, — видимо, убийца назначил ей здесь свидание. У нее был какой-то конкретный интерес, иначе бы она просто не пришла. Человек ждал ее у этого дупла. В какой-то момент, она забылась или увлеклась, и он оказался у нее за спиной. Видимо, веревку он принес заранее. Может, была даже не веревка, а проволока или провод. Слишком тонкая борозда. И тогда он ее задушил.

— Возможно, — достаточно сдержанно прокомментировал начальник полиции, — теперь остается выяснить какой.

— Прямо шпионская история, — мрачно произнес Эльбрус, — кому и зачем нужно было назначать свидание нашей несчастной Лиде?

И какие дела у нее могли быть вне хозяйского дома, где она работала много лет?

— Вы сказали, что Лида осталась одна после смерти матери, — вспомнил Дронго, — но у нее есть сестра в Баку. Все правильно?

— Да, верно. Младшая сестра. Она живет в столице. Уехала еще лет пятнадцать назад.

— Можете ей позвонить?

— Конечно. У нас есть ее телефон. Но мы хотели позвонить завтра. Чтобы не сообщать ужасную новость на ночь глядя. Пусть приезжает завтра. И прокурор района будет только завтра утром.

— Позвоните прямо сейчас, — попросил Дронго, — насколько я понял, Лида — ее единственный близкий родственник.

Фазиль подозвал одного из своих сотрудников, уточнил номер телефона и позвонил.

— Может, вы сами поговорите? — предложил он Дронго.

Тот кивнул, взял аппарат.

— Как зовут сестру?

Фазиль посмотрел на своего офицера.

— Мила, — вспомнил тот.

— Здравствуйте, Мила, — сказал Дронго, услышав женский голос, — простите, что беспокою вас поздно вечером. Вы сестра Лиды?

— Да, я ее сестра. А вы кто?

— Я приятель Эльбруса Алхасова.

— Что-то случилось? Она должна была мне позвонить, но ее телефон отключен.

— Мы тоже беспокоимся, — солгал Дронго, стараясь не смотреть в глаза никому из стоявших рядом людей, — поэтому и пытаемся ее найти. Извините, что спрашиваю. А почему вы ждете ее звонка? Что-то срочное? Нам это нужно, чтобы найти ее как можно быстрее. Может, она заблудилась в лесу.

— Лида не могла заблудиться, — категорично возразила сестра, — она знает все места вокруг. Наверное, просто зарядка в смартфоне закончилась. Хотя она такая пунктуальная, никогда не забывала зарядить свой телефон.

— Тогда как ее найти?

— Не знаю. Сама беспокоюсь. Она должна была позвонить и сказать нам насчет моего сына. Поэтому мы волнуемся.

— С вашим сыном что-то не в порядке?

— Нет. Слава богу, все в порядке. Лида обещала помочь собрать сумму для оплаты его учебы в университете. Он ведь прошел на платный. Она хотела помочь племяннику. Надеюсь, она сейчас у себя или в доме Эльбруса Алхасова. Там ничего плохого случиться не может. Такая охрана...

— А какую сумму Лида обещала собрать?

— Большую. Двадцать тысяч манат.

— Да, действительно. Это большие деньги, — согласился Дронго. — Мы постараемся что-нибудь прояснить. Извините еще раз.

— Скажите, что мы беспокоимся и ждем ее звонка, — напомнила сестра на прощание.

Дронго вернул телефон начальнику полиции.

— Вот и все, — сказал он, — теперь все стало ясно. Лида пришла сюда за деньгами, за двадцатью тысячами манат. Она должна была оплатить учебу своего племянника, поступившего на платное отделение университета. Поэтому она оказалась в этом месте. Возможно, убийца даже передал ей некую сумму денег, которую она сжимала в правой руке или пересчитывала деньги, когда убийца воспользовался моментом и набросил свою удавку. Деньги он потом забрал. И ее мобильный телефон. Нужно связаться с провайдером и уточнить, когда была извлечена сим-карта. Этот будет момент убийства плюс минус несколько минут. А уже потом начать проверку мужчин, которые должны будут предъявить свое алиби.

— Вы действительно очень серьезный сыщик, — удовлетворенно сказал начальник полиции, не скрывая своего восхищения.

— Просто опыт. Она была местной и не могла заблудиться. Педантичная, дисциплинированная, пунктуальная, как многие старые девы.

Знала, что сегодня у Алхасовых будут гости и ей нельзя надолго покидать дом. Поэтому было выбрано место для встречи недалеко от дома. Место, хорошо известное в районе, но скрытое от посторонних глаз. И прийти сюда ее могли заставить только очень важные обстоятельства. Это была оплата за учебу ее племянника. Такие обстоятельства можно просчитать. И теперь я почти наверняка могу сказать, что никто в этом селе не был организатором ее убийства.

— Красиво расписали, — тихо пробормотал Эльбрус, — и вы, конечно, правы. В селе ни у кого нет таких денег. Значит...

— Значит, — кивнул Дронго, — вы правильно поняли. Почти наверняка двадцать тысяч мог предложить ей кто-то из ваших.

— Тише, — попросил Алхасов, — мне самому нужно разобраться. Кто это мог быть?

— Не посторонний.

Начальник полиции молча слушал этот диалог, уже понимая, что Дронго говорит очень умные вещи.

— И тогда получается, что убийца был сегодня с нами за одним столом?

— Выходит так.

— Что тогда мне делать? Повеситься самому? За столом были мой младший брат, сын, зять, мой помощник, которого я знаю много лет, наши гости из Грузии, которых я тоже знаю много лет, и ваша пара. Кого мне подозревать?

— Вы не назвали еще одного человека, — беспристрастно напомнил Дронго.

— Кого?

— Себя, — пояснил он, увидев, как дернулся Эльбрус. И вздрогнул начальник полиции.

Глава 6

— Вы с ума сошли? — гневно спросил Алхасов. — Вы что, подозреваете меня? Зачем мне убивать свою домработницу, которой я был очень доволен? Она столько лет работала у меня.

— Она узнала какую-то тайну, — пояснил Дронго. — Тайну вашего дома. И хотела получить за эту тайну двадцать тысяч. У нее была очень неприятная манера — почти бесшумно появляться за спинами людей. Я сразу обратил внимание на это ее странное поведение.

— Признаться, это я поручил ей следить за младшим братом, — пробормотал Эльбрус. — Но какая тайна может быть в моем доме, ради которой следует убить человека? Не можете подсказать?

— Вам лучше знать. Я только сегодня приехал.

— Черт возьми, — вырвалось у Алхасова, — только неприятностей не хватало.

Он не сказал «трагедии». Он сказал «неприятностей». Очевидно, смерть Лиды была для него лишь неприятностью.

— Что мне делать? — спросил начальник полиции.

— Арестовать меня и всех моих гостей, — зло посоветовал Эльбрус и не без удовольствия добавил: — Включая нашего эксперта и его жену. Как вы считаете — женщина могла задушить Лиду?

Начальник полиции ошеломленно взглянул на Эльбруса и ничего не ответил.

— Могла, — спокойно заметил Дронго, — и в доме были четыре женщины. Джил, ваша дочь, Лиана и Шукуфа. Но, с поправкой. Джил никогда здесь не бывала раньше и не смогла бы найти старое дерево с дуплом. Значит, остаются трое. Накинуть проволоку на горло человека и задушить его могла даже женщина.

— И кого вы рекомендуете мне подозревать? — поинтересовался Алхасов.

— Пока не знаю. Шукуфу я бы тоже исключил. Она была занята на кухне и оставалась вне поля нашего зрения всего несколько минут. За это время она не успела бы добежать сюда и обратно. Значит, остаются две женщины, у каждой из которых было достаточно времени, чтобы оказаться в этом месте.

— Вы нарочно меня дразните? — мрачно осведомился Эльбрус.

— Нет. Пытаюсь рассуждать. Примерно то же самое можно сказать и о мужчинах, которые были с нами в доме. Сколько у вас охранников?

— Шесть человек. Дежурят по двое каждые сутки. Но они всегда находятся в комнате охраны. Если бы один вышел, другой бы заметил.

— Справедливо. Значит, остаются мужчины в доме. Вы, я, ваш сын, ваш зять, ваш брат, ваш помощник и ваш гость Роберт. Семеро мужчин.

— Вы сами поняли, что сказали? — махнул рукой Алхасов. — Я точно знаю, что никого не убивал. И мой младший брат не смог бы этого сделать. Вы же видели, какой у него был приступ.

— Это как раз работает против вашего брата. Да, у него был приступ, причем совсем недавно. Вы уверены, что это произошло под влиянием выпитого вина?

— А под влиянием чего, по-вашему?

— Под влиянием сильного стресса, вызванного убийством. Вам известно, что эпилептики между приступами остаются вполне здоровыми, сильными и расчетливыми людьми?

Эльбрус молчал. Начальник полиции тоже молчал. Он впервые в жизни слышал подобные рассуждения.

— Предположим, что Салхаб мог прийти сюда и убить Лиду, — негромко произнес Эльбрус. — Но в отношении меня это нельзя предположить! Я никого не убивал. И вы наверняка тоже никого не убивали. Вы же прежде не знали этого места, так как впервые приехали в мой дом. Значит, в числе подозреваемых остаются пятеро мужчин и две женщины. Я вас правильно понял?

Он действительно был достаточно проницательный и умный человек.

— Видимо, да, — согласился Дронго.

— В таком случае кого именно я должен подозревать в первую очередь? — спросил Эльбрус. — Вам не кажется, что я могу просто сойти с ума от такого выбора.

— Кажется, — безжалостно согласился гость, — но ничего иного я предложить не могу. Извините.

Алхасов молчал.

— Что мне делать? — снова задал тот же вопрос начальник полиции.

— Расследовать убийство, — ответил Эльбрус, — прокурор приедет утром. Пусть заедет ко мне. У нашего эксперта будет целая ночь, чтобы найти убийцу. Если, конечно, получится. Может, здесь остались какие-то отпечатки пальцев. Или другие следы.

— Уже темно. Наверное, мы вызовем бригаду и проведем тщательный осмотр утром, — пояснил Фазиль, — вы не беспокойтесь. Я все равно прикажу проверить всех мужчин в селе. И еще утром мы проведем тщательный обыск в доме для прислуги. Может, господин эксперт ошибается и Лиду все же задушил кто-то из местных.

— Проверяйте, — устало согласился Алхасов, — пусть нас отвезут домой.

Начальник полиции подозвал водителя. Уже в кабине Эльбрус невесело взглянул на своего гостя.

— Что думаете делать?

— Беседовать. Нужно понять, кому была выгодна смерть Лиды. Для кого она вдруг стала опасной...

— И почему она не попросила денег у меня?

— Видимо, решила, что есть более надежный или удобный вариант.

— Получается, что мы совсем не знаем людей, рядом с которыми живем, — пробормотал Алхасов. — Видимо, это моя судьба.

Когда они приехали в дом, за столом уже никого не было. Дронго поднялся к Джил и постучал в дверь. Она почти сразу открыла.

— Я уже начала волноваться. Что-то произошло?

— Нет. Просто в лесу охотились браконьеры, — попытался солгать он.

— И поэтому ты поехал? — Она чувствовала, когда он пытался ее обмануть.

— Нет. Там убили Лиду, — признался он.

— Ту женщину, которая показывала нам нашу комнату?! — ахнула Джил. — Боже! За что? Кому она могла помешать?

— Не знаю. Нужно попытаться понять, что здесь происходит. Тебе нужно успокоиться, если получится, — и отдохнуть.

— Ты думаешь, я могу успокоиться в такой обстановке?

— Не думаю. Но будет лучше, если ты закроешь двери и никому не будешь открывать. Если честно, то я почти уверен, что тебе ничего не грозит. Но в любом случае осторожность не помешает.

— Такое ощущение, что ты притягиваешь к себе преступления, — в который раз сказала ему Джил.

— Это моя работа. Врач может понадобиться в любой момент и в любом месте. Пожарный может понадобиться. И я тоже часто бываю нужным людям. Оставайся здесь.

— В который раз, — горько усмехнулась она, — будь осторожен. Я считала, что такие семейные тайны скрываются в европейских семьях, где отношения строятся на недомолвках и лжи. Но только не здесь, на Востоке, где так традиционно уважают семейные ценности. Видимо, мир меняется.

Дронго видел, что Джил очень взволнована. Лицо ее было бледным, кончики пальцев дрожали. Она то и дело кидала настороженные взгляды на дверь. Мрачные мысли одолевали ее. Супругу надо было срочно отвлечь, и Дронго знал, как это сделать. Джил обожала историю.

— Ты права, мир еще как меняется! — кивнул Дронго. — Давай вспомним Испанию. Каким непререкаемым авторитетом пользовался король Хуан Карлос Бурбон. Как его уважали и почитали в стране. Он ведь действительно восстановил демократию в Испании, укрепил королевскую власть, подавил военный переворот. А потом оказалось, что в королевском семействе не все ладно...

Дронго кинул взгляд на Джил. Она уже с любопытством смотрела на него, в ней пробудился интерес, она ждала продолжения.

— Ну и? — поторопила она. — Что же там было не так?

— А вот что. Сначала проблемы с дочерью и зятем, которые нанесли тяжелый удар по престижу королевской семьи. Потом отречение короля и передача трона его сыну. И как апофеоз — обвинения в многочисленных нарушениях и даже преступлениях, вынудившие короля покинуть страну. Вот тебе и «скелеты в шкафу» даже в таком благородном семействе. А ведь они прямые наследники Людовика Четырнадцатого.

Разумеется, Дронго умышленно пытался отвлечь ее от тревожных мыслей, проверяя, насколько Джил внимательно слушает его и насколько уже погрузилась в историю.

– Ой ли?! – лукаво усмехнувшись, воскликнула она. – А я помню, что Хуан Карлос был родственником кого-то из Бурбонов.

– Браво. Ты права. Но там была очень интересная история. Дело в том, что у Людовика Четырнадцатого было два внука – Людовик и Филипп. И его семья могла претендовать на испанскую корону. Но европейские государства были категорически против объединения Франции с Испанией, что превращало их в супердержаву. И тогда началась многолетняя война за испанское наследство. В результате появился компромисс, по которому второй внук Людовика Четырнадцатого был провозглашен королем Испании, но с категорическим условием, что его потомки на Пиренеях не смогут никогда претендовать на французский престол. А старший внук станет соответственно королем Франции, и его потомки не будут претендовать на испанский престол. Филипп занял испанский престол, и оттуда пошла испанская ветвь Бурбонов, а старший внук Людовик умер достаточно молодым в тридцать лет. Королем в пять лет стал Людовик Пятнадцатый. А внук Людовика Пятнадцатого был уже Людовик Шестнадцатый, которому, соответственно, отрубили голову, как и его супруге. Хотя после отречения Наполеона Бурбоны вернулись, но очень ненадолго.

— Спасибо за исторический экскурс. Было познавательно, — рассмеялась Джил.

Он вышел из комнаты, подождал, пока она закроет дверь, и прошел к кабинету хозяина дома. Постучал.

— Дверь открыта. Войдите! — крикнул Эльбрус.

Дронго вошел. Хозяин дома сидел на диване, перед ним на столике стояла бутылка виски. Он мрачно взглянул на своего гостя.

— Вам не кажется, что сейчас не самое лучшее время для виски? — осведомился Дронго, усаживаясь напротив.

— Как раз сейчас самое лучшее! — буркнул Алхасов. — Хотите налью и вам?

— Нет. Я почти не пью виски. И мне нужна ясная голова. Как и вам.

— Не уверен. Мне нужно напиться, чтобы не думать о ваших словах, — отрезал Эльбрус, — это самое разумное, что я могу сделать.

— Перестаньте. Вы сильный человек. Давайте вместе подумаем, кому и зачем могло понадобиться это убийство.

— Я вам отвечу. Следуя вашей логике, это убийство было выгодно только мне. Наверняка Лида вынюхала какую-то мою тайну и решила меня разоблачить.

— У вас много таких тайн?

— Достаточно. Все-таки хотите виски?

— Нет. Может, расскажете? Чтобы я точнее представлял ситуацию.

— Тогда я должен рассказать вам всю мою жизнь.

— У меня есть время.

— А у меня, видимо, его уже нет, — пробормотал Эльбрус, наливая виски в массивный стакан и делая внушительный глоток.

— Итак, я вас слушаю. Давайте начнем с ваших отношений с дочерью. Почему они такие непростые?

— Значит, вы все-таки слышали, как она орала на весь дом, — догадался Алхасов.

— Сложно было не услышать.

— Так всегда. Наверное, в этом виноват только я.

— В чем?

— Она ждала ребенка от человека, которого я не мог представить своим зятем. Это был совсем не тот человек, которого я мечтал видеть в качестве мужа моей дочери. Но они тайно встречались. А потом выяснилось, что она ждет ребенка. Мы с женой были категорически против. Моя умершая супруга была женщиной истеричной и требовательной. В общем, мы вместе настояли на аборте. Видимо, Аллах наказал нас, и вот уже несколько лет Эсмира не может родить. Я чувствую себя виноватым. Хотя и сейчас уверен, что с тем парнем она не могла быть счастливой.

— А с нынешним может?

— Нет. Хотя я сам выбрал для нее Эльнура. Она его не любит и даже презирает. За то, что он не пытается ей возражать и не идет на конфликты. У нее характер матери...

— Вы уже второй раз намекаете, что у вашей супруги был сложный характер.

— Не то слово, — Алхасов посмотрел на виски, но не стал трогать стакан. — Мы поженились в достаточно раннем возрасте. Поженились, как было принято. Сначала договаривались родители, потом нас познакомили. Мне было двадцать пять, ей двадцать два. Такой вот идеальный брак. Все было как будто нормально, но уже через некоторое время я стал замечать странности в поведении моей супруги. Она злилась по каждому поводу, устраивала истерики, срывалась по пустякам. Затем начались семейные скандалы по поводу и без повода...

— Можете пояснить, что значит «по поводу»?

На этот раз он снова поднял стакан и выпил.

— Я не был ангелом, — признался Эльбрус, — как и большинство мужчин. Я был на хороших должностях, нравился женщинам, у меня были деньги и влияние. И квартиры, где я мог встречаться со своими знакомыми. Старался не подставляться, но слухи, конечно, доходили. Жена устраивала истерики. Она и без того была очень и очень нервным человеком. Начались оскорбления. Прямо с утра. Мы уже спали в разных комнатах. Она просыпалась и сразу осыпала меня оскорблениями. Я все не так делал. Не вовремя кипятил воду, неправильно воспитывал детей, не умел разговаривать с персоналом. Вся страна считала меня таким умным и проницательным человеком, а дома я слышал, что я «дебил», «дегенерат» и тому подобные оскорбления. Я понимал, что сам давал повод к такому поведению своей супруги, но все равно меня это сильно задевало. Разводиться в моем положении было практически невозможно. Я сидел в президиумах и возглавлял разные правительственные делегации, а дома постоянно выслушивал систематические оскорбления больной женщины. Может быть, у нее была какая-то послеродовая травма. Говорят, у некоторых женщин такое случается. Она рожала Керима очень тяжело. Он шел ногами вперед, и ей пришлось делать кесарево сечение. Не знаю. Она была всем недовольна. Точнее, она была недовольна мной. Я скажу вам одну истину. Если ваш партнер в браке знает, что вы были ему неверны, то подобная рана никогда не затянется, вас никогда не простят.

Хотя в нашем обществе многие женщины прекрасно осведомлены о том, что их мужья гуляют на стороне и даже имеют постоянных любовниц. Некоторые жены знают о существовании у своих мужей вторых семей с детьми! Моя жена не была исключением. Она была слишком эмансипирована, если хотите. Мы были слишком «цивилизованны» и далеко ушли от наших патриархальных нравов.

— Оправдание собственной безнравственности эмансипацией выглядит не очень убедительно, — вставил Дронго.

— Согласен. Может, нужно было быть более осторожным, более внимательным и меньше выпячиваться. Но я был слишком заметной фигурой. И еще при наличии всех этих смартфонов и социальных сетей ничего невозможно было скрыть. Достаточно было мне появиться в любом ресторане или отеле с какой-нибудь женщиной, как об этом сразу становилось известно моим близким. Даже моя должность вызывала у моей жены сильное раздражение.

Можете себе представить? Все время ядовито уточняла – почему я вице-премьер и не могу стать премьером? Представляете? Все время меня пилила: «Чем ты хуже своего начальника? Почему ты остановился на вице-премьере? Когда наконец ты сможешь стать премьером?» Как будто все зависело только от меня. Однажды у нас случилась авария в Мингечауре, и премьер позвонил мне поздно вечером, попросив срочно приехать. Она устроила мне дикий скандал, заявив, что я превратился в ручного пса при главе правительства. Я тогда понимал, в чем настоящая причина ее истерики. У меня был кратковременный роман с супругой одного дипломата, посла, аккредитованного в нашей стране. Разумеется, жена обо всем узнала. И, когда раздался звонок по поводу Мингечаура, она устроила дикую сцену. Как будто судьба нашей семьи зависела от того, поеду я или нет. Я, конечно, хлопнул дверью и уехал. Три дня не появлялся дома. Пока не пришлось вернуться за одеждой. И опять нарвался на очередной скандал. Я вообще не хотел возвращаться.

Как можно было договариваться с такой неадекватной женщиной? Ее не устраивало в наших отношениях всё. И во всем всегда был виноват только я один. Отключили свет на даче – я виноват. Как я мог допустить, чтобы у вице-премьера отключили свет? Нет подачи газа во всем районе — опять я виноват. В общем, идиотская ситуация. Так мы и жили. Со стороны — почти образцовая семейная пара. А на самом деле... Я стал часто уходить из дома, ночевал в других местах. Дети это знали, все понимали. Видели и слышали наши постоянные скандалы, наши взаимные оскорбления. Она злилась по любому поводу. Понятно, что никакой семейной жизни у нас не было и в помине. Иногда я тоже срывался на крик.

— Простите за вопрос. Вы не жили как муж и жена?

— Конечно, нет. Много лет. Просто сосуществовали. Встречались в одном доме даже не как друзья, а скорее как враги. Нас всё раздражало друг в друге. Даже запахи, любое поведение, любая мелочь.

— И в такой обстановке ваша Эсмира решила встречаться со своим возлюбленным?

— Подозреваю, что она просто хотела сбежать из нашего сумасшедшего дома. От постоянных скандалов и упреков. Но когда это произошло, мы словно объединились с женой и оба начали давить на бедную девочку. В результате в какой-то момент она сдалась. Я даже знаю, когда именно. Отец одного из моих водителей попал в больницу с острым приступом аппендицита. Всю ночь он пролежал на операционном столе. Хирург ждал, когда приедут родственники и привезут деньги на операцию. Вы ведь знаете, в те времена обычно брали деньги вперед. Но никто не успел приехать или позвонить, и отец моего водителя скончался. На Эсмиру это произвело сильное впечатление. Она осознала, что человек без денег и связей в нашем обществе просто не выживет. И ее ребенку будет сложно жить с отцом, заработок которого зависит от его творческих удач или гонораров. И тогда она согласилась на аборт. Теперь понимаете — какие у нас сложные отношения. Плюс смерть ее матери.

— Вас тогда не было рядом?

— Я был в Тбилиси. Поехали туда показать Салхаба доктору. Лиана уже ждала нас там. И в этот момент у моей супруги случился инсульт. Я просто не успел вернуться. Эсмира, конечно, мне этого не простила. Тем более что она очень не любит Лиану и не скрывает этого.

— У нее есть основания?

— Может быть...

— Есть или нет?

Эльбрус снова потянулся за стаканом.

— Не нужно, — посоветовал Дронго, — вы уже достаточно выпили.

Алхасов убрал руку.

— Что вы хотите?

— Знать правду о ваших отношениях с Лианой.

– Она хороший психолог. Помогает моему брату. С ее мужем у нас были некоторые финансовые операции...

– И...

– Вам не кажется, что это уже напоминает допрос.

– Скорее попытка докопаться до истины. Чтобы узнать, кто мог решиться на убийство из ваших близких.

Эльбрус взял стакан и допил остатки виски. Потянулся за бутылкой. Дронго его опередил, убрал бутылку.

– Вы не ответили на мой вопрос, – напомнил он.

– Да, – выдохнул Алхасов, – если хотите знать правду. Да. Я с ней спал. Давно. Она тогда развелась с первым мужем и еще не была с Робертом. Красивая женщина. Умная, проницательная, элегантная. Я брал ее с собой во Францию. Мне она нравилась. И она хороший психолог.

– Вы ведь понимаете, что здесь не Франция и «друга семьи» здесь не может быть. Тем более если об этом узнают ваши близкие.

– Моя жена меня подозревала и стала настраивать детей против Лианы и против меня. Узнала, что мы оставались в квартире для свиданий из распечатки, которую я случайно оставил на столе в своем кабинете. После этого

Лиана уже не могла появляться в нашем доме до смерти моей супруги. А дети ее просто терпеть не могли. Потом Лиана вышла замуж второй раз за Роберта, и у нас прекратились всякие отношения. Я пытался намекать, но она резко отказывала.

— Роберт знает о вашей прежней связи?

— Думаю, нет. Хотя не уверен.

— Вы были в Тбилиси, когда умерла ваша супруга?

— Да. Она плохо себя чувствовала. Лежала в больнице. Но врачи говорили, что ничего страшного. Немного повышено давление. Ночью случился кризис и подскочило давление. А меня не было рядом. Эсмира считает, что мать узнала о моей очередной встрече с Лианой и поэтому у нее подскочило давление. На самом деле Лиана была уже замужем, и в тот момент у нас прекратились всякие отношения. Но мне уже никто из близких не верил.

— И после этого Лиана стала появляться в вашем доме?

— А вы считаете, что я должен был запретить ей переступать порог?! — разозлился Эльбрус. — Я и так много сделал для своих детей. Даже слишком много. Они никогда и ни в чем не нуждались. Лучшие машины, лучшие квартиры, лучшие учителя, самая дорогая одежда, самые хорошие курорты. Неужели из-за их капризов я должен выставить вон своего верного друга? Понимаю, что Эсмире и Кериму это очень не нравится. Но пока я хозяин в доме!

Он выждал паузу, что-то вспоминая.

— Потом, уже после моей отставки из правительства, у меня изменился статус, и это сказалось на моих отношениях, в том числе и с женщинами, — сказал он глухим голосом. — Они любят деньги и власть. Деньги у меня есть, а вот власти уже гораздо меньше. Я это почувствовал сразу, как только меня освободили от должности. Незадолго до этого сюда приехала делегация из Санкт-Петербурга. Я ее принимал. В составе была женщина, сотрудница мэрии. У нас с ней наметился легкий флирт, и я пообещал позвонить ей, когда прилечу в Питер. Буквально через месяц я приехал в Санкт-Петербург и назначил своей знакомой встречу в «Астории». Как бы мимоходом сообщил ей о своей отставке. Это была ошибка. Она не пришла. И даже перестала отвечать на мои телефонные звонки. Вот такие обломы бывают в жизни.

— Ничего удивительного. Одно дело — влиятельный вице-премьер, а другое — простой поклонник, хоть и с деньгами. Есть разница, — с пониманием ответил Дронго.

— Не смейтесь, — вздохнул Эльбрус.

— Я совсем не смеюсь, потому что знаю: в жизни подобное случается. В таких случаях нужно стараться произвести на женщину впечатление другими своими качествами, а не должностью... Но мы уклонились от темы. Я хотел спросить вас про Салхаба. Такая любовь к младшему брату заслуживает глубокого уважения, но мне кажется, что при ваших возможностях вы могли бы поселить его отдельно.

— Не мог, — выдохнул Алхасов. — Верните бутылку.

— Нет.

— Тогда сами плесните. Есть вещи, о которых нельзя говорить без алкоголя.

Дронго достал бутылку и немного налил. Эльбрус залпом выпил.

— Это я виноват в том, что Салхаб так болен, — пояснил он. — Всю свою жизнь чувствую себя виноватым. Салхаб был совсем маленьким и играл у письменного стола отца, сидя на полу. А я в это время занимал отцовское кресло, представляя себя то ли летчиком, то ли космонавтом. Штурвалом мне служили большие тяжелые часы на мраморной подставке. И я нечаянно столкнул их со стола. По закону подлости часы упали на голову младшего брата. Удар был не очень сильный, крови не было, лишь гематома. Но что-то важное в мозге было повреждено. Начались приступы эпилепсии. Родители меня никогда не винили. Но я был уже достаточно взрослым, чтобы осознавать свою вину. С тех пор я отвечаю и за него.

— Вам не кажется, что у вас слишком много «скелетов в шкафу»?

— Кажется. Я сам об этом думаю.

— Салхаб помнит об этом случае?

— Конечно, помнит.

— Он не высказывал вам свои претензии?

— Высказывал. И не раз. Даже говорил, что было бы лучше, если бы я его убил. Я, чтобы как-то улучшить его жизнь, выделил ему часть активов нашей компании. Иногда, под влиянием своих приступов, он становится просто непредсказуемым. Но мне приходится терпеть. Мать перед смертью взяла с меня слово, что я буду всегда заботиться о нем.

— Я с ним сегодня общался. Мне показалось, что он вполне адекватен.

— Но в последнее время приступы стали повторяться все чаще и чаще. Его надо серьезно лечить.

— Неприятно, — согласился Дронго. Он поднялся, прохаживаясь по кабинету. Еще раз взглянул на оружейный шкаф, затем ненадолго остановился у сверкающего никелем и полированным красным деревом современного музыкального центра.

— Вы любите музыку? — спросил Дронго, кивая на музыкальный центр.

— Это Эльнур увлекается, — отмахнулся Эльбрус. — Иногда запускает джаз и кантри. Я все время прошу его сделать звук потише, эти колонки просто рвут мои барабанные перепонки...

— Вы можете уточнить — у кого еще есть интересы в вашей компании? — спросил Дронго, рассматривая внушительные колонки и миниатюрный пульт управления музыкального центра.

— Помимо брата, еще у дочери, сына и зятя, — пояснил Алхасов.

— Это тоже местная традиция, — усмехнулся Дронго. — Мне рассказывали про министра, который курировал две крупные компании, входящие в его министерство. Одна занималась ремонтом техники. Другая — строительством. Первую возглавлял брат министра, вторую — сын министра. Такой вот семейный подряд за счет государства.

— У меня частная компания, — сдержанно напомнил Эльбрус.

— Которую вы создали будучи вице-премьером, — напомнил Дронго.

— Я ничего не нарушал. Никаких законов.

— Возможно. А почему вы не назвали племянника?

— Не назвал, — согласился Эльбрус. — Он не владеет активами. Он всего лишь нанятый работник на руководящей должности. Получает только зарплату.

— Почему же его так обделили?

Алхасов тяжело вздохнул, посмотрел на бутылку, но налить не попросил. Затем признался:

— В последнее время Эркин перестал мне нравиться. Он перестал со мной считаться. Пока я был вице-премьером, он пикнуть боялся. А сейчас считает меня чуть ли не ровней себе. Подозреваю, что он ведет нечестную игру против моей компании, пытаясь получить долю, прибрать к рукам некоторые активы.

— И поэтому, когда мы сидели за столом, ваша дочь сказала о своем кузене, что он обнаглел?

— Может быть. У Эркина тяжелый характер. Он всегда гнет свою линию, не считаясь с мнением остальных. Даже со мной. Мальчишка решил, что он тут самый умный. Не понимает, что без меня он полный ноль.

— Но он ваш родственник. Надо считаться с его мнением, уважать его позицию, поддерживать его начинания.

— Да, вы правы, но границы приличия надо соблюдать! Он просто демонстративно игнорирует не только мое мнение, но и других близких ему людей!

— Когда утром приедут сотрудники прокуратуры и полиции, чтобы допросить всех находящихся здесь людей, — посоветовал Дронго, — постарайтесь не срываться. Если перестараетесь с алкоголем и перестанете себя контролировать, могут быть нежелательные последствия.

— Хуже уже не будет, — угрюмо отпарировал Эльбрус. — У меня нет никакого алиби. А вот причин совершить преступление — выше крыши!

— Хорошо, что вы это понимаете, — возразил Дронго. — Но под подозрение попадете не только вы. А все, кто сейчас находится в этом доме.

— Вы говорите страшные вещи! Я не хочу думать об этом! Мы — одна семья. Среди нас не может быть убийцы. Мы готовимся к приезду итальянцев, чтобы заключить крупный контракт. Давайте бутылку.

Он протянул руку.

— И поэтому вы решили отравить Эркина, чтобы он не попал на эти переговоры? — спросил Дронго.

Рука Эльбруса замерла и дрогнула. Алхасов изумленно смотрел на своего собеседника.

— Кто? — едва слышно произнес он. — Кто вам об этом сказал?

Глава 7

Дронго выдержал паузу. Хозяин дома был шокирован неожиданным поворотом в разговоре.

— Кто вам донес? — снова отрывисто спросил он.

— Я обратил внимание, что, когда вы поднимали тост за свою семью, вы упомянули всех, желая каждому здоровья. Но «забыли» про своего племянника. Более того, вы подозрительно отстраненно сообщили о его возможном отравлении. И когда позвонили мне вчера утром, приглашая к себе, вы слишком навязчиво говорили о том, что Эркину надо подольше оставаться в больнице, что ему не следует торопиться.

Алхасов тяжело вздохнул.

— А сейчас вы рассказали о его амбициях, — продолжал Дронго, — хотя могли бы и не рассказывать. Я ведь не просил. Но вы не смогли промолчать, это больная тема для вас, она все время вертится у вас на языке. Я сразу обратил внимание, как ваш племянник вел себя на свадьбе. И сразу понял, что он — это ваша большая проблема. Эркин почти уверен, что скоро вы отойдете от дел и компания достанется ему. Он даже высказался в том смысле, что вы уже теряете хватку. Ваш сын, как выяснилось, неспособен грамотно вести бизнес, с дочерью у вас вообще нет никакого контакта. Вот Эркин и рассудил, что вести переговоры с итальянцами может самостоятельно, как и вообще решать судьбу бизнеса.

— Наглый мерзавец, — беззлобно произнес Алхасов.

— Безболезненно отстранить его от переговоров было просто невозможно. И тогда вы решились на трюк с отравлением. Изначально было понятно, что Эркина не собирались убивать. Для этого было бы достаточно одной капли цианида, и молодой человек замертво рухнул бы под стол. Эркину подсыпали другой яд. Даже не яд, а скорее лекарство. Чтобы вывести его из строя на несколько дней. Я, кстати, уже знаю, кто положил ему лекарство в стакан... Однако я невольно спутал ваши планы, нейтрализовав с помощью водки действие лекарства. Эркин быстро пришел в себя, и это вас, конечно, не устраивало. Вы уже твердо решили, что племянник ни при каких обстоятельствах не станет вашим наследником.

— Он не уважает людей. И не понимает их проблем, — вздохнул Эльбрус, — и в последнее время он зарвался. Поэтому я решил, что будет правильно, если не подпустить его к этим переговорам. Но вы оказались рядом и сразу ему помогли. Теперь я прошу врачей подержать Эркина в больнице подольше.

— Это не решит проблемы, — покачал головой Дронго. — Эркин убежден, что все равно рано или поздно он возглавит компанию.

Алхасов вздохнул.

— Разговаривая с вами, надо иметь рядом две бутылки виски. Чтобы ничему не удивляться.

— Виски вам не поможет. У вас уже начал проявляться комплекс бывшего большого чиновника, снятого с должности. Вы стали более подозрительным, более мнительным, более обидчивым. Не вы первый, не вы последний.

— Ну да. После отставки я стал неуправляемым идиотом. Вы это хотите сказать?

— Нет. Просто считаю, что вы напрасно устроили этот трюк с отравлением своего племянника.

— Может быть, — выдохнул Эльбрус. — А как вы узнали, кто подсыпал лекарство в бокал?

— Все это достаточно легко просчитывается.

Алхасов не спросил. Он уже понял, что этот необычный человек словно читает его мысли.

— Остановитесь, — попросил он, — кажется, я начинаю вас бояться. Или вы действительно умеете просчитывать все ходы. Но я не верю в подобные фокусы.

— В таком случае почему вы так нервничаете?

— Потому что вижу: вы уже догадались. Вы действительно можете назвать имя.

— Это была Лиана, — безжалостно продолжал Дронго, — именно она воспользовалась ситуацией и положила в бокал лекарство. Точно рассчитав дозу, чтобы не убить, а именно отравить.

— Они терпеть не могут друг друга, — пробормотал Эльбрус. — Эркин был уверен, что она моя любовница и мы по-прежнему в отношениях. Чтобы как-то досадить мне, он дважды делал ей грязные предложения. Она его отшила. Очень своеобразно и решительно. Это ему, конечно, не понравилось. Когда я поделился с Лианой своим планом и попросил ее помочь мне, она сразу согласилась. Но это не было покушение на убийство. Мы точно знали, что он не умрет.

— У вас методы средневековых правителей, — поморщился Дронго, — проявляете трогательную заботу о младшем брате и травите сына другого брата. Я уже не говорю о дочери, за которую вы сами все решали.

— Вы слишком много времени провели на Западе, — покачал головой Алхасов, — у нас так не принято. Дочь должна слушаться отца и выходить замуж с его согласия. А племянник обязан слушать своего дядю, как старшего в семье, и во всем ему подчиняться. Или вы этого не знаете? Это Восток, здесь свои семейные традиции.

— Я невольно услышал ваш разговор с дочерью и видел, как вы общались с ней за столом. Это менее всего похоже на традиционную восточную семью. Скорее на обычный разлад в либеральной семье.

— Вы сами вызвали меня на откровенность. Учитывая сегодняшнее преступление. Поэтому я вам и рассказал о причине наших сложных отношений.

— Таким образом, Лиана оказалась вовлеченной в ваши планы, — продолжал Дронго, — когда Лида показывала нам нашу комнату, она спросила про Эркина и про свадьбу. Уточняя, был ли я на этой свадьбе. Я почти уверен, что она знала заранее, что Эркин не приедет. Возможно, слышала ваш разговор с Лианой.

— Поэтому ее убили? Тогда получается, что убийца — Лиана, которая хотела скрыть свою роль в отравлении Эркина. Но зачем было убивать? Лиана могла высказать свои опасения мне, и я бы переговорил с Лидой, попросил бы ее держать язык за зубами. Она ведь тоже не очень любила Эркина.

— А супруг Лианы? Учитывая ваши прежние отношения с его женой, хамское поведение вашего племянника, посмевшего сделать непристойное предложение его супруге, у него были все основания ненавидеть вашу семью.

— Ненавидеть?! — возмутился Эльбрус. — Да я помог ему стать вице-президентом в банке!

— В обмен на лояльность его жены? — уточнил Дронго. — По-моему, не всякий грузин примет такую «сделку». Скорее всего, Роберт узнал, что именно его жена подсыпала отраву в бокал Эркина. И понял, что Лида может проболтаться, выдать ее полиции. Тогда он предложил ей денег, а когда она пришла к условному месту, он ее задушил. Иными словами, убрал свидетеля.

— Свидетеля чего? — не согласился Алхасов. — Свидетеля имитации отравления? Да в суде это квалифицировали бы как хулиганство или нанесение легкого ущерба здоровью! Штраф, не более того!

— Но Роберт не мог знать, что это была имитация! — возразил Дронго. — Он был полностью уверен, что его жена убила вашего племянника! Конечно, в этой ситуации любой любящий муж подошел бы к супруге и постарался бы уточнить все детали. И выяснилось бы, что никакой попытки убийства не было. Но Роберт так не мог поступить. Он не мог показать Лиане, что знает ее тайну. Он считал, что Лиана станет его презирать за то, что он грубо лезет в ее душу, в ее мысли, в ее секреты. И потому сам решил тихо и незаметно избавиться от опасного свидетеля. Такая версия имеет право на существование.

— Возможно, — подумав несколько секунд, кивнул Эльбрус, — но только в качестве самой фантастической версии.

— У нас за столом были еще несколько мужчин, — напомнил Дронго, — ваш сын, ваш брат, ваш зять и ваш помощник.

— И кого из них можно подозревать? Салхаб серьезно болен. Мой сын не настолько умен, чтобы задумать и совершить подобное. А главное, у него практически нет наличных денег, и уж тем более — двадцати тысяч. Мой зять вообще безвольный и робкий человек, пикнуть не посмеет без своей жены. Остается мой помощник Рагиб...

— Который вызывает самые большие подозрения, — закончил Дронго.

— Почему? — удивился Эльбрус. — Почему вы его подозреваете больше остальных?

— Я обратил внимание: рассказывая об аптеке, он обмолвился, что по дороге сюда встретил Лиду. И она ему сообщила, что скоро вернется.

Похоже, Рагиб был последним, кто видел домработницу живой. И, возможно, он и задушил несчастную.

— А мотив? Ему она чем могла помешать?

— Ему, допустим, ничем. Но она могла мешать кому-то другому. И этот другой мог послать Рагиба исполнить грязное дело, чтобы обеспечить себе алиби.

— Кто же мог поручить такое Рагибу? — криво усмехнулся Эльбрус.

— Например, вы, которому Рагиб подчиняется беспрекословно.

— С ума сошли? — нахмурился Алхасов.

— Это всего лишь предположение. Рагиба также мог нанять кто-то из вашего окружения. Это в самом деле удобно убийце: Рагиб не является членом вашей семьи, потому особой шумихи вокруг преступления не будет.

— Все равно будет ажиотаж. В понедельник все сайты и газеты напишут, что убитая женщина работала в доме бывшего вице-премьера. От этого уже никуда не денешься.

— Я все время думаю, что еще такого могла узнать Лида, чтобы ее убить? Какие еще семейные тайны вы мне не рассказали?

— Нет больше тайн.

— Может, вы не первый раз прибегаете к различным лекарствам, чтобы решить свои проблемы? Может, кто-то «помог» вашей супруге, когда вы предусмотрительно уехали в Тбилиси?

– Вы издеваетесь? Вы в самом деле думаете, что я способен на такое? Не скрою – она меня страшно доводила своими постоянными придирками. Но травить мать своих детей! Я не настолько беспринципен и аморален.

– Про мораль не будем говорить, – предложил Дронго, – учитывая ваш жизненный опыт.

– Не будем, – поморщился Эльбрус. – А вы знаете многих успешных мужчин, которые бы не изменяли своим женам? Только откровенно. Или вы сами считаете себя идеальным мужем и образцом верности?

– Не считаю, – спокойно признался Дронго. – Но я никогда не приглашал в свой дом женщин, с которыми находился в связи. Хотя бы из уважения к Джил.

– Да, это была моя ошибка, если вы намекаете на Лиану. Но у нас уже давно чисто дружеские и деловые отношения. И она начала появляться в моем доме уже со своим вторым мужем.

– Вы сами сказали, что здесь несколько иные нравы. Это Восток. Здесь были гаремы и наложницы. Но еще нет такой степени морального разложения как на Западе. Один из писателей рассказывал мне, что почти ни в одном языке мира нет понятия «свингер», которое ввели в обиход Америка и Европа. Восточный человек просто неспособен осознать, как можно поменяться женами с другим мужчиной. Это выглядит чудовищным и противоестественным актом. А слово «сутенер», которое означает не очень уважаемую профессию, в переводе на азербайджанский становится неприличным оскорблением. У каждого народа свои традиции. И вы их сознательно нарушили.

— Я уже пояснил, что это была ошибка. Верните мою бутылку или я достану из бара новую.

— Если вы собираетесь встретить утром прокурора и следователя в бессознательном состоянии, то можете продолжать. — Дронго поставил бутылку на столик перед хозяином дома.

Алхасов взглянул на бутылку, но не прикоснулся к ней.

— Лиана предупредила меня, что приехала сюда в последний раз, — выдавил Эльбрус, — она давно собиралась полностью разорвать наши отношения. Тем более после того, как я попросил ее подсыпать лекарство в бокал племянника.

— Я вот о чем сейчас подумал. Почему вы просто не отстранили его от работы в компании? Ведь вы ее владелец, вам и карты в руки.

— Вы сами сказали, что мы на Востоке. Здесь вам не Европа. Представляете, как посмотрят на меня окружающие, если я поступлю так со своим племянником! Сразу пойдут слухи, что в нашем семействе не все в порядке. Начнутся слухи, домыслы, различные нелепицы. Это на Западе у супругов может быть разный бизнес, а владелец компании может уволить даже собственного сына. А здесь так не принято. Меня просто не поймут. А в моем положении лучше не давать повода для ненужного ажиотажа.

— Пятеро мужчин и две женщины, — подвел неутешительный итог Дронго, — и один из них — убийца.

— Напомню, что вы исключили себя с женой и Шукуфу.

— Я уже говорил и повторю. Я и Джил впервые здесь, и мы совершенно не знаем местности. А ваша кухарка все время была на виду и не могла надолго отойти от плиты.

— Тогда найдите убийцу!

— Что я и делаю. Сейчас мы на время закончим выстраивать логические цепочки и строить гипотезы и обратимся к неопровержимым фактам. Скажите, вход на территорию просматривается через камеры наблюдения?

— Да.

— Значит, охранники видели всех, кто выходил и возвращался на территорию в течение того времени, когда была убита Лида?

— Не совсем так. У нас есть калитка у пруда. Запирается изнутри. Там нет никаких камер и охранников. Я нарочно обустроил ее, чтобы иметь возможность иногда уходить без свидетелей.

— Я так и подумал. Иначе вы бы сразу просмотрели все записи. Это ведь первое, что надо сделать после любого чрезвычайного происшествия. Кто еще знает, что калитка не просматривается камерами?

— Все знают. Все, кто сегодня был за столом, включая Роберта и Лиану. Может, за исключением вас двоих.

— Теоретически это означает, что любой из них мог незаметно выйти и незаметно вернуться обратно.

— Верно, — подтвердил Алхасов. — Но кто мог предположить, что этой калиткой воспользуется преступник!

— Лида говорила о чем-нибудь с охранниками? Вы не замечали?

— Нет, никогда не говорила. Они для нее были только бессловесными существами. Ее они не интересовали. Если вы думаете, что это был кто-то из охранников, то глубоко ошибаетесь. Никто из них не может покинуть поместье без моего разрешения. Восхищаюсь вашей памятью! Вы запомнили почти каждую фразу, которую произнес кто-то из присутствующих. Я сейчас тоже припоминаю, что Рагиб действительно говорил про свою встречу с Лидой. Такое ощущение, что у вас в голове магнитофон, который записывает все слова.

— При моей профессии такая память просто необходима, — заметил Дронго. — У меня выработалась привычка обращать внимание на любые мелочи. Которые часто оказываются совсем не мелочами.

В дверь постучали.

— Войдите! — крикнул Эльбрус.

В комнату вошла Лиана. Алхасов хотел подняться с дивана, но не смог и, махнув рукой, остался на месте. А вот Дронго быстро поднялся и поприветствовал психолога. Увидев его, Лиана смутилась, прикусила губу. Очевидно, она не рассчитывала его здесь застать.

— Хотела сообщить вам о вашем брате, — отстраненно произнесла Лиана, — он сейчас заснул наконец. Но приступ был тяжелый. И они стали чаще повторяться. Я думаю, что его нужно срочно отправлять в Москву или Берлин. Иначе подобные припадки будут повторяться все чаще и с более тяжелыми последствиями.

— Садитесь, — показал на кресло Эльбрус, — немного отдохните. Хотите виски?

— Вы знаете, что я не пью виски, — напомнила Лиана, опускаясь на краешек кресла. Было заметно, что она чувствует себя не очень комфортно.

— Я тоже думаю, что его нужно снова показать врачам, — согласился Эльбрус.

— Что-то произошло? — спросила Лиана, обернувшись к Дронго. — Вы уехали с начальником полиции так неожиданно, но достаточно быстро вернулись. А теперь уединились тут, секретничаете. И бутылка виски уже почти пустая.

Эльбрус посмотрел на Дронго, предлагая ему все объяснить самому.

— Недалеко от дома произошло убийство, — сдержанно сообщил Дронго.

У этой женщины были крепкие нервы. Она даже не вздрогнула и не испугалась. Словно ждала именно этого сообщения. И, спокойно глядя в глаза своему собеседнику, уточнила:

— Из-за этого вас туда позвали?

Возможно, она решила, что был убит кто-то из сельских жителей и поэтому так спокойно отреагировала, понял Дронго. Или она уже знала о случившемся. Или просто не хотела выдавать своих эмоций.

— Убили Лиду, — вмешался Алхасов. — Ее тело нашли в лесу.

Все-таки она отреагировала. Нет, не испугалась. Скорее изумилась. Глаза расширились. Потом прищурилась. Не глядя на хозяина дома, она обратилась к Дронго:

— Как это произошло?

— Ее задушили, — коротко ответил Дронго.

Только теперь она перевела взгляд на Алхасова. Тот недовольно кивнул в знак согласия.

— И вы знаете, кто это сделал? — осведомилась Лиана.

— Убийцу ищут, — выдавил Алхасов.

— Кто это мог сделать? У нее были враги?

— Не знаю. Не думаю. Но она любила собирать чужие секреты, — ответил Эльбрус.

— Даже так? — усмехнулась женщина. — Я всегда подозревала, что она знает гораздо больше, чем мы думаем. Это ее неприятная манера бесшумно подкрадываться со спины к людям всегда вызывала у меня ощущение дискомфорта.

— Я ей доверял, — хмуро признался Алхасов. — Но выяснилось, что я ничего толком о ней не знал. Как, собственно, и о том, что творится в моем собственном доме и в моей семье.

— В каком смысле?

— Господин эксперт считает, что убийцей был кто-то из нашего дома, — пояснил Эльбрус.

Лиана снова посмотрела на Дронго. Теперь это было не недоумение. Скорее холодная реакция неприязни.

— Понадобились ваши таланты, — сказала она, — теперь вы решили показать себя в полном блеске. На фоне такой трагедии. Можно узнать, кого именно вы подозреваете?

— Пока никого конкретно. Я только поделился своими мыслями с уважаемым господином Алхасовым.

— Но вы уверены, что это сделал кто-то из нас?

— Это наиболее вероятно. И я пытаюсь понять, кому это было выгодно.

Лиана нервничала. Она понимала, что может всплыть ее участие в отравлении Эркина на свадьбе.

— А мне, по вашему мнению, это было выгодно?

— Надеюсь, я об этом скоро узнаю, — уклончиво ответил Дронго.

Лиана посмотрела на Эльбруса, в глазах были гнев, осуждение, вызов, раздражение, даже злость.

— Вы тоже предполагаете, что убийца среди нас? — в упор уточнила она.

— Я... не знал... не думал... Ты... Вы не поняли. Я не готов ответить... — невнятно пробормотал Эльбрус.

— В доме были только ваши родные и друзья, — сдержанно напомнила Лиана. — Разумеется, вы их не станете подозревать. А из посторонних людей — только ваши гости, — она кивнула на Дронго, — и мы с Робертом. Что прикажете теперь думать?

— Вас пока никто не подозревает, — отрывисто произнес Алхасов и с опозданием понял, что допустил ошибку, использовав слово «пока». Она это сразу услышала.

— Пока, — саркастически повторила Лиана. — Значит, вопрос только во времени. Может быть, уже завтра вы будете подозревать меня с Робертом. А может, уже через час? Или через пятнадцать минут! Никто не посмеет кинуть тень на ваших близких. Сын, зять, дочь... Разумеется, убийство совершили приехавшие иностранцы. Вы это хотели сказать?

— Я оговорился, — виновато проговорил Эльбрус, — просто имел в виду, что пока нет никаких оснований кого-то подозревать конкретно.

Она смотрела ему в глаза. Он, не выдержав ее взгляда, отвернулся. Они понимали друг друга. Если узнают, что лекарство Эркину подсыпала Лиана, то убийство Лиды автоматом могут повесить на нее.

— Вы тоже считаете, что нас не подозревают пока? — повернулась она к Дронго.

— Господин Алхасов оговорился, — повторил Дронго, — не нужно так нервничать. Я думаю, что мы сумеем прояснить ситуацию.

Лиана задержала на нем долгий взгляд.

— В таком случае не буду вам мешать, — она поднялась с кресла. Дронго поднялся следом.

— Надеюсь, вы сумеете найти негодяя, — сказала она на прощание, выходя из кабинета.

— Везде свои проблемы, — раздраженно изрек Эльбрус, — черт меня побери. Мне нужно еще выпить.

— Вы скоро превратитесь в неуправляемого и опустившегося человека, — сурово заметил Дронго, — особенно учитывая ваше нынешнее состояние. Ваш уход из правительства был болезненным ударом, и вы почувствовали себя не нужным. Отсюда такая стремительно разрастающаяся обида на своего племянника. В результате вы приняли совсем неверное решение отстранить его от переговоров с итальянцами. В прежние времена вы бы просто ему приказали. Это комплексы, уважаемый Эльбрус.

— Может быть, — согласился Алхасов. — Всё, что мне остается, — это сидеть и вычислять, кто из моих родных мог стать убийцей.

— Все не так печально. Всегда главный вопрос: кому это выгодно? Пока я пытаюсь вычислить убийцу, мне надо уточнить один вопрос. Эркину вы явно не доверяете. Ваш младший брат неспособен управлять компанией. К вашему сыну у вас нет полного доверия, как к бизнесмену. И все равно вы наверняка хотите оставить компанию кому-то из родных. Трудный выбор... У вас есть какие-нибудь идеи?

Эльбрус тяжело вздохнул.

— Вы думаете, я сам ничего не понимаю?

— Вы не ответили на мой вопрос.

— Я думал об Эльнуре, — признался Алхасов, — он достаточно способный парень, хотя и находится под полным влиянием своей жены.

Но это даже неплохо. У нее тяжелый характер матери, но она умеет принимать важные решения. Этим она пошла в меня. И Эльнур будет под ее полным контролем. Я думаю, он справится на посту руководителя компании. Дело налажено, и я собираюсь прожить еще лет двадцать пять, чтобы им помогать. Поэтому я постепенно готовлю именно его возглавить компанию.

— Ваш младший брат не будет возражать? У больных эпилепсией бывают внезапные приступы гнева, когда человек не отдает отчета в своих действиях, и это может привести к тяжелым последствиям. Он может сильно обидеться на вас. Тем более что он помнит, кто виновен в его болезни.

— Он принимает лекарства, и пока все под контролем.

— Да, возможно. Ломброзо считал, что эпилепсия изначально связана с преступными наклонностями, — напомнил Дронго, — но в последние годы эта теория подверглась пересмотру. С помощью медикаментозной терапии все можно держать под контролем.

— Поэтому мы о нем и заботимся...

Алхасов недоговорил. Дверь резко раскрылась, и в кабинет вошла его дочь.

Глава 8

— Что происходит?! — не обращая внимания на Дронго, громко спросила Эсмира. — Может, ты наконец нам расскажешь, что происходит в нашем доме?

— Не кричи, — поморщился отец, — сядь и успокойся.

Она кивнула Дронго и плюхнулась в кресло, где несколько минут назад сидела Лиана.

— Извините, — резко произнесла она, обращаясь к гостю, — вы не могли бы нас оставить? На несколько минут. У меня с отцом важный разговор.

— Разумеется, — Дронго вышел из кабинета, закрыв за собой дверь. Но тотчас остановился у двери. И поэтому слышал весь разговор достаточно отчетливо.

— Мне позвонила Мила, сестра Лиды, — нервно начала Эсмира, — плачет и говорит, что Лиду убили. Ей звонили из полиции, просили завтра приехать сюда. Я ей сказала, что, может, это ошибка, мы все выясним. Почему ты ничего нам не сказал? Приехал и заперся у себя в кабинете. Нашел время пить виски!

— Замолчи, — уже раздражаясь, произнес Эльбрус, — мы пока ни в чем не разобрались. Лиду нашли убитой в лесу. Кто-то ее задушил. Поэтому мы с нашим гостем пытаемся понять, что же произошло.

— Ну и что? Уже поняли?

— Пытаемся. И обязательно найдем преступника, если ты не будешь орать на весь дом.

— За что ее убили?

— Откуда я знаю? И в полиции никто не знает. Завтра приедут прокурор и следователь. Будут выяснять.

— Ты вообще что-нибудь способен понимать?! — взвизгнула дочь. — В доме вице-премьера убили домработницу! Понятно, что никто из наших не мог этого сделать. Но ведь пойдут слухи, грязные намеки, разные инсинуации. Вся эта грязь выльется на нас. И еще узнают, что в доме была твоя давняя знакомая...

— Перестань пороть чушь, — зло отрезал Эльбрус. — Я тебе уже говорил, что у меня нет никаких отношений с этой женщиной. Сколько можно об этом напоминать? Иначе я бы не пригласил ее к нам с мужем. Неужели тебе это не понятно?

— Разве тебя когда-нибудь останавливали чужие мужья?! — крикнула Эсмира. — Может, и с Лидой ты тоже успел переспать?

— Какая мерзость, — поморщился Алхасов, — ты совсем потеряла голову. Не ори на весь дом. Несчастная Лида была старой девой. Ты просто сходишь с ума.

— Ты думаешь, я ничего не знаю? Мне было шестнадцать, когда к нам приехала чешская журналистка со своим мужем. Мы с мамой тогда сразу обратили внимание, как она тебе понравилась. Ты повел их в ресторан и напоил мужа до бесчувствия. А потом увез журналистку в отель. Твой бывший водитель проговорился, сказал нам, что ты поехал давать интервью в отель. Ночью. В полночь. После таких возлияний. Неужели ты думал, что никто ничего не поймет? Мама тогда разбила весь чайный сервис на кухне. Ей было мерзко, что этих людей она принимала у нас.

— Мой водитель — идиот. Я действительно должен был завизировать интервью. Поэтому и поехал туда.

— Только в другой отель. И глубокой ночью, — расхохоталась Эсмира. — Да, тебе иногда удавалось обмануть маму. Но только не меня. Я видела, как ты реагируешь на красивых женщин. Иногда я приходила в такое бешенство, что готова была тебя убить.

— Это мое дело. Перестань обсуждать отца.

— Ничего. Скоро начнут обсуждать другие.

— В каком смысле?

— Я говорю о журналистах. Можешь представить, с каким удовольствием они начнут ворошить грязное белье нашей семьи. Нам только убийства Лиды не хватало для полной гармонии.

— Следствие разберется. Может, ее убили случайно, перепутав с кем-то, — не очень убедительно пробормотал Алхасов.

— И в ожидании, когда следствие разберется, ты сидишь и хлещешь виски, — дочь резко поднялась из кресла. — Мы с Эльнуром завтра утром уезжаем, чтобы не вляпаться в эту грязную историю. Отметишь день рождения Керима без нас. Тем более что он дает большой банкет в Баку. Без родственников, кстати.

Дронго понял, что Эсмира закончила разговор, и быстро отошел к лестнице. Эсмира вышла из кабинета, громко хлопнув дверью. Увидела гостя в коридоре, невольно вздрогнула.

— Второй раз встречаю вас в этом месте, — недовольно произнесла она. — Вы мне напоминаете нашу убитую Лиду. У нее тоже была гадкая привычка прислушиваться к чужим разговорам. Надеюсь, вы, как и в первый раз, ничего не услышали?

— Конечно, нет.

— Так я и подумала. Спокойной ночи. — Она пошла по коридору.

Дронго вошел в кабинет. Алхасов снова налил себе виски. И эксперт снова забрал бутылку.

— Все слышали? — спросил Эльбрус.

— А как вы думаете?

— Можно подумать, что я ничего не знаю, — вздохнул Алхасов. — За банкет Керима все равно буду платить я. Хочет отметить с друзьями, без родственников, без отца — пусть отмечает. Это даже к лучшему.

Он допил виски из стакана. Потом невесело усмехнулся.

— Знаете, после того как меня отправили в отставку, мой телефон словно испортился. Столько людей вдруг перестали интересоваться моей жизнью. Может, это и к лучшему. Правда, некоторые еще названивают. Ходят слухи, что меня могут снова куда-то назначить и потому кое-кто на всякий случай пытается напоминать о себе. Но так аккуратно, осторожно.

Чтобы другие не узнали... В нашем обществе все четко расписано. Ты при должности — тебя уважают, боятся, приглашают, общаются. Тебя сняли с должности — и все как отрезало. Я не хочу встречаться с этими лицемерами на дне рождения сына. Решил отметить здесь. Но получил такой «подарок» с убийством Лиды. Пришлось отменить визит нашего кулинара. Нужно будет завтра извиниться перед Таиром Амираслановым и выплатить гонорар повару. Он не виноват, что все так получилось.

— Я знаю нравы этой публики, — улыбнулся Дронго. — Несколько лет назад был на свадьбе дочери министра культуры. Там за соседним столом сидел всесильный глава службы безопасности страны. Все министры мечтали сидеть с ним рядом за одним столом. Здесь ведь принято рассаживать людей по рангу. Одного из министров вопреки его надеждам посадили очень далеко от главы службы безопасности! Слышали бы вы, как министр возмущался по этому поводу! Что, дескать, его оторвали от самого лучшего друга, который ему больше, чем друг, потому что он ему брат и вообще отец родной! А через несколько дней после свадьбы главу службы безопасности сняли с должности, предъявив обвинение в коррупции. И тогда тот же самый министр первым начал публично обвинять генерала, налево-направо раздавал интервью, рассказывая о том, каким же подлым и мерзким был бывший глава службы безопасности... Смешные истории, которые повторяются из года в год.

— Вы думаете это только у нас?

— Полагаю, что нет. Человеческую природу трудно изменить. Это как раз тот самый случай, когда на Востоке и на Западе одинаково проявляются лицемерие и трусость. Даже у наших соседей, в России. Вспомните, как топтали Собчака после его ухода из мэрии? Даже завели уголовное дело. Тогда единственным, кто его поддержал, оказался его бывший помощник Путин. Видимо, Ельцин это учел, когда выбирал своего преемника. После ухода самого Ельцина, начались «пляски на его костях». Я не очень уважал ни Ельцина, ни Собчака, но Путин оказался в этом смысле достаточно порядочным человеком. Или вспомните, как уходил Лужков. Его практически сразу все бросили и предали. А вот Иосиф Кобзон демонстративно поддержал опального политика. Во все времена есть порядочные, достойные люди с четкими понятиями достоинства и чести. И есть недостойные.

— Последних гораздо больше.

— Нет. Просто они слабее. Быть достойным человеком — привилегия сильных духом. А слабые сдают и друзей, и самих себя. Везде похожие нравы. Люди не меняются уже тысячи лет.

— Зачем они позвонили сестре Лиды? — вздохнул Алхасов. — Теперь все узнают об убийстве. Могли бы подождать до утра.

— Их можно понять. Им нужно проводить неотложные действия в рамках следствия, — пояснил Дронго, — полагаю, что вам нужно немного отдохнуть. Завтра будет тяжелый день и совсем не в том смысле, о котором вы подумали.

— Надеетесь что-нибудь выяснить?

— Во всяком случае, будем пытаться. Постарайтесь больше не пить и немного поспать.

— Да, конечно. Согласен. Спасибо, что выслушали меня. Знаете, иногда нужно вот так высказаться кому-нибудь. Чтобы стало легче. Говорят, в Америке у каждого человека есть свой психолог. Теперь понимаю, что это просто необходимо.

— Напоследок я хотел бы уточнить одну вещь. В доме есть оружие?

— У охранников есть. У меня есть три «винчестера» для охоты и один именной пистолет. Вон там, в углу, стоит шкаф. Вы думаете, кто-то может напасть? Тогда мы точно отобьемся, — попытался пошутить хозяин дома.

— Нет, — ответил Дронго, — но будет лучше, если вы запрете свой кабинет. — Он подошел к шкафу: — Вы его не запираете на замок?

— Зачем? — удивился Эльбрус. — В доме нет маленьких детей. А без моего разрешения сюда никто не входит. Обратите внимание на левый экземпляр. Это особая модель «винчестера», которую охотники называют «тридцать-тридцать».

— Да, мне знакома эта модель. Здесь улучшенная система запирания ствола и модифицированные предохранительные механизмы, — сказал Дронго, глядя на ружье. — Его производили до две тысячи шестого года. Лучший представитель «винчестера». Остальные два ружья — это помповые гладкоствольные дробовики.

— Вы хорошо разбираетесь в оружии, — удивился Алхасов. — И говорите, что не любите охоту?

— Не люблю. Кто из ваших родных умеет стрелять?

— Обычно мы ходили на охоту с Рагибом.

— Ваш сын не брал ружья?

— Два или три раза стрелял. Но ему лень ходить и выслеживать дичь или кабанов. Зять вообще не прикасается к оружию. Кто еще? Насчет Роберта не скажу, никогда не спрашивал.

— А ваш брат?

— Конечно, нет. Я никогда не брал его на охоту. Психиатры говорят, что у него может обостриться болезнь при виде крови. Хотя он несколько раз просил меня взять его с собой. Давать оружие в руки человеку, у которого случаются приступы, достаточно опасно. Один раз Салхаб выпросил у меня пистолет. Я ему дал, чтобы он пострелял. Знаете, чем это закончилось? Пистолет полетел в сторону, а у него начался приступ. А однажды я собрался зарезать барана и взял Салхаба с собой. Когда брызнула кровь, ему стало плохо. Поэтому я считаю, что ему лучше не давать в руки оружия.

— И я так считаю. Но было бы лучше, если бы ваш шкафчик запирался на ключ.

— Учту ваши пожелания, — тяжело вздохнул Эльбрус.

— До свидания. Идите спать. Спокойной ночи.

Дронго вышел в коридор. В этот момент в соседней комнате приоткрылась дверь и показалась чья-то рука. Затем он увидел лицо зятя хозяина дома.

— Добрый вечер, — вежливо поздоровался Эльнур.

— Если он добрый, — невесело пробормотал Дронго.

— Что-то случилось? — спросил Эльнур.

— Вы еще не слышали? Убили вашу домработницу Лиду.

Эльнур нахмурился. Покачал головой.

— Какая неприятность. Несчастная женщина.

Дронго хмуро кивнул и спросил:

— Вы были у Салхаба?

— Он уже пришел в себя. Я всегда его навещаю. Знаю, как это сложно с такой болезнью. У нашего соседа была подобная болезнь. Это было ужасно. Он падал на пол и захлебывался в крови и слюне. Неприятно.

— Да, — согласился Дронго, — действительно неприятно.

Открылась еще одна дверь. На пороге показался Салхаб. Он услышал голоса и решил посмотреть. Было заметно, что он еще не до конца отошел от своего приступа. Лицо все еще было красным. Он кивнул гостю в знак приветствия.

— Я пойду, дядя Салхаб, — сказал Эльнур, — спокойной ночи!

— Вы были у него? — спросил Салхаб, показывая на кабинет старшего брата. — Что там произошло? Эсмира так громко кричала. Она иначе и не может.

— Как вы себя чувствуете?

— Уже нормально. Я принял лекарство. Немного пришел в себя. Моя племянница орала на весь дом.

— Произошла беда с Лидой. — Он не хотел вдаваться в подробности.

— Какая беда? Она вышла замуж? — пошутил Салхаб.

— Не нужно шутить. Ее убили, — сообщил Дронго, собираясь идти в свое крыло, но застыл на месте, услышав спокойный ответ:

— Я так и думал, — сказал Салхаб. — Здесь должно было произойти нечто подобное.

Дронго с интересом взглянул на своего собеседника.

— Можно узнать — почему вы так думали?

— Слишком много всего, — пояснил Салхаб. — Слишком много ненависти, накопившегося раздражения, обид, непонимания. Все это должно было рано или поздно привести к подобному исходу. Лида была посвящена практически во все тайны дома. А это всегда опасно. Человек, который знает все тайны дома, становится едва ли не владельцем этого дома.

— Интересная теория.

— Она была посвящена во все. И кому-то это не понравилось.

— Видимо, и вам она не очень нравилась.

— Очень не нравилась, — признался Салхаб. — Однажды я застал ее за разглядыванием моих лекарств. Я принимаю финлепсин и назорал. Какое отношение она могла иметь к этим препаратам? В другой раз увидел, как она стоит в коридоре и подслушивает разговор Эльбруса с Эркином. Я рассказал об этом брату, но тот просто отмахнулся, сказав, что это мои глупые фантазии. В общем, она тихо и методично следила за нами всеми. И это привело к ее убийству.

— И кто мог это сделать, по вашему мнению?

— Во всяком случае, не жители села. — Салхаб был достаточно проницательным, хотя и неприятным человеком.

Он помолчал. А затем добавил:

— Мог Керим, о «шалостях» которого она постоянно докладывала отцу. Мог Рагиб, с которым она вечно конфликтовала. Могла Эсмира, которая ненавидела Лиду за то, что та всегда покрывала отца, когда он привозил сюда женщин.

— А Роберт с Лианой?

— Они из особой категории. Лиана одно время была достаточно близка к Эльбрусу. Потом немного отошла. Но по-прежнему он ей очень доверяет.

— Я могу узнать, какой смысл вы вкладываете в слова «достаточно близка» и «немного отошла»?

— Думаю, вы сами догадались, — поморщился Салхаб. — Она была его любовницей. Я даже ему завидовал. Такая стильная женщина. Умная и серьезная. Но большие деньги Эльбруса и его власть сломали даже ее.

— Она ведь помогала вам.

— Это было обычное прикрытие. Для жены и дочери. Чтобы меньше ревновали и дергались. Чем мне могла помочь Лиана? Она ведь не врач, а всего лишь психолог. Но мы всегда ездили в Тбилиси втроем. Для отвода глаз.

— Сегодня я сам видел, как она вам помогла.

— Уже научилась, — кивнул Салхаб, — это было не так сложно. А потом она вышла замуж за Роберта, финансиста очень низкого пошиба, и мой брат устроил его вице-президентом в крупный грузинский банк. Явно рассчитывая на благодарность Лианы. Но она решила, что теперь, как замужняя женщина, не имеет права на подобные встречи. Решила проявить принципиальность.

— Может, просто полюбила мужа?

— А раньше?

— Раньше не любила.

— Все это отговорки. Ее мужа сделали банкиром. Лиана получила все, что хотела, — жестко произнес Салхаб, — и потому начала отказывать Эльбрусу. Он злился, срывался на всех, в том числе и на мне. А потом она снова начала приезжать к нам. Но уже с мужем. Когда платят большие деньги, грех не воспользоваться. А присутствие рядом Роберта ограждало ее от домогательств Эльбруса. Очень ловкий ход.

— Вам она не нравится.

— Скорее наоборот. Очень нравится. Но у меня не было шансов против моего старшего брата. Вокруг него всегда сиял ореол ведущего политика страны, успешного бизнесмена и секс-символа, — с неожиданной ненавистью произнес Салхаб, отворачиваясь.

— А его вы тоже не любите, — понял Дронго.

— Почему я должен его любить?! — резко спросил Салхаб. — Если бы не каминные часы, которые брат свалил мне на голову... Вы наверняка знаете эту милую историю, которую рассказывают всем гостям, чтобы сразу объяснить, отчего я такой ненормальный. А ведь я мог быть не менее успешным политиком или бизнесменом! А стал инвалидом по его вине. Он теперь всю жизнь пытается показать, будто искупает свою вину. Но искупить ее невозможно. Я не женился, у меня нет ничего своего. Да, брат поделился со мной активами компании. Но в любой момент их могут отнять у меня мои племянники. Эркин, прежде всего. Керим и Эсмира. Просто докажут в суде, что я не дееспособен. И все. У меня нет будущего.

Он замолчал.

— Знаете, почему я сказал, что совсем не удивлен убийством Лиды? — спросил Салхаб. — Здесь ведь все построено на недоверии и лжи. Эсмира ненавидит своего отца, не простив ему прерванной беременности. Она презирает своего мужа, за которого ее выдали чуть ли не насильно. Керим, в свою очередь, не любит свою сестру. Он считает, что отец сделал для нее слишком много и обделил вниманием его. Роберт знает все о прошлом своей жены. И он с удовольствием не только задушит Лиду, но и весь дом с его обитателями подожжет.

— Почему вы так уверены, что он все знает?

— Уверен, — уклончиво ответил Салхаб. — Наверняка нашлись «добрые» люди, которые нашептали ему про ее связь с Эльбрусом.

— Например, вы, — так же спокойно произнес Дронго.

Салхаб вздрогнул. Нахмурился. Покачал головой.

— Я не гово... С чего вы взяли... Он вам что-то рассказал?

— Нет. Я догадался. Вам нравилась Лиана. Слишком много времени вы проводили вместе. И прекрасно понимали, что у вас нет шансов. Потому и завидовали своему старшему брату, которого не любите. Несмотря на все его усилия. Вы не можете простить его за те часы на вашей голове. И поэтому решили отомстить таким образом. Но Роберт, возможно, не поверил. Он же видит, как ведет себя его жена по отношению к вашему брату. Это разозлило вас еще больше...

Салхаб молча смотрел на своего собеседника, словно ожидая, что тот еще скажет.

— Нельзя жить с таким грузом, — негромко произнес Дронго. — Это даже не очень честно по отношению к вашему старшему брату.

— До свидания, — Салхаб повернулся и пошел в свою комнату, тихо закрыв за собой дверь.

«В одном он прав, — подумал Дронго, — в этом доме столько ненависти и лжи, что почти наверняка может еще что-то произойти. Нужно ожидать еще одной трагедии».

Он даже не мог предположить, насколько был прав.

Глава 9

Дронго спустился вниз, чтобы выпить воды. На кухне энергично прибиралась Шукуфа. В белоснежной косынке на голове она ловко и почти бесшумно работала и совсем не беспокоила хозяев и гостей в доме. Увидев вошедшего гостя, она кивнула ему в знак приветствия, продолжая доставать из посудомойки и до блеска протирать чистую посуду. Дронго попросил стакан воды, и Шукуфа вынула из холодильника запотевшую бутылку минералки.

— Если опять захотите пить, загляните в мини-бар в вашей комнате, — приветливо сказала она после того, как

Дронго, утолив жажду, вернул ей стакан. – Там всегда есть несколько бутылок воды.

«Восточное мышление! – подумал Дронго. – Она сначала выполнила мою просьбу, напоила меня и только потом сказала про воду в мини-баре. Она не могла сначала сказать мне про мини-бар. Это могло быть расценено как отказ в просьбе и неуважение к гостю. Здесь такие правила...»

– Простите за неожиданный вопрос, – спросил Дронго. – Вы хорошо знали Лиду?

– Конечно, хорошо, – вздохнула Шукуфа. – Она была очень дисциплинированным человеком.

– Вы уже слышали, что с ней случилось? – удивился он.

– Мне звонили из нашего села, – пояснила Шукуфа. – Я даже не поверила. Но когда Лида не вернулась к ужину, я все поняла. Она бы никогда не позволила себе такое опоздание. Этого никогда не случалось. А потом мне позвонили и сказали, что ее нашли убитой в лесу. Пусть Аллах будет милостив к этой женщине. Мы работали с ней здесь больше восьми лет.

– У нее были какие-то неприятности в доме? Или в вашем селе могли быть недоброжелатели?

– Нет. Я ничего такого не знаю.

— Может, кто-то из живущих в доме ее обижал?

— В нашем доме такого не могло быть, — женщина повернулась и продолжила работу, давая понять, что разговор закончен.

— А вы случайно не слышали какие-нибудь споры или разногласия в доме?

— Нет. Ничего не слышала...

Дронго понял, что из нее больше ничего выжать не удастся. Он вышел из дома. Было достаточно прохладно. Повсюду горели светильники. Он обошел вокруг дома. Похоже, все спят. Среди тех, кто сейчас находится в доме, может быть и убийца. Что могло толкнуть его на подобное преступление? Для кого Лида с ее умением добывать тайны могла стать опасной? Какой секрет был оценен в двадцать тысяч, а потом и вовсе стоил Лиде жизни?

В этой семье все было основательно запутано. В плотный клубок сплелись судьбы и чаяния, поступки и желания, ошибки и надежды, а потому каждый, кто находился в доме, мог совершить это преступление.

Он услышал торопливые шаги и обернулся. Невозможно было не узнать коренастую и широкоплечую фигуру. Это был Рагиб.

«А ведь я совсем забыл про него, — подумал Дронго. — Он ведь не ночует в хозяйском особняке. И в домике для прислуги не ночует — там только женщины. Значит, всякий раз куда-то уходит».

— Добрый вечер, — поздоровался Рагиб, подходя к гостю. — Не спится?

— Нет. Захотел подышать воздухом. А почему вы не спите?

— Уже одиннадцать, — напомнил Рагиб. — Я должен забрать Шукуфу, чтобы отвезти ее домой. Она сейчас заканчивает работу.

— А где вы сами живете?

— Рядом. В селе. Снимаю дом. Чтобы быть всегда ближе к Эльбрусу-муэллиму.

В азербайджанском языке подобная приставка означает проявление большого уважения к человеку, в переводе это «учитель».

— Вы всегда так поздно ее забираете?

— Нет. Только когда приезжает Алхасов со своей семьей. Тогда я тоже приезжаю и останавливаюсь в селе. Если позовут, сразу приеду.

— А в ваше отсутствие кто отвозил Шукуфу и Лиду?

— Иногда сами добираются до села. Иногда подвозит кто-то из охранников. Бывает, остаются в домике для прислуги. Там есть спальня для них двоих.

— До села далеко?

— Совсем рядом.

— Вы знаете, что случилось с Лидой?

— Конечно, знаю. В селе все уже знают. Ее нашел соседский мальчишка и сразу рассказал родителям. А те вызвали полицию.

— Как вы думаете, почему ее убили?

— Не знаю. У нас такого никогда не было.

— У нее были враги или недоброжелатели?

— Нет. По-моему, не было.

— Кто, по-вашему, мог это сделать?

— Не знаю, — Рагиб пожал плечами и посмотрел на часы: — Уже поздно. Почему Шукуфа не выходит?

— Вы были одним из последних, кто видел Лиду живой, — продолжал спрашивать Дронго. — Вас не удивило, что она идет в сторону леса, а не по дороге?

— Да, удивило. Я спросил, она ответиала, что у нее есть дела, — хмуро сообщил Рагиб.

— И вы не уточнили, какие могут быть дела в лесу?

— Нет. Меня чужие дела не касаются. Я должен был привезти лекарство. Меня ждали, и я спешил.

— В селе хорошая аптека?

— Раньше была не очень. Но Эльбрус-муэллим добился, чтобы построили новую и начали снабжать ее по первой категории. Сейчас там бывают такие лекарства, которых даже в городе не найти.

— А почему вы ходили пешком в село. Не быстрее на машине?

— Нет. На машине в объезд, минут десять. А пешком — по проселочной дороге напрямую — минут пять всего. Поэтому многие ходят пешком. В нашем лесу нет хищных животных, кроме лисиц.

— Но Алхасов приглашал меня на охоту.

— Это в другой стороне, далеко отсюда. Километров восемьдесят. Я обычно охочусь вместе с ним.

— Вы хорошо стреляете?

— Я охотник, — усмехнулся Рагиб, — умею выслеживать дичь. Нужно терпение, осторожность и внимательность. Чтобы зверь успокоился и вышел на тебя.

— Вы давно работаете с Алхасовым?

— Почти шесть лет уже. Раньше я работал в его компании начальником смены охраны. Но, когда умер его прежний помощник, он взял на эту должность меня.

— От чего умер?

— Онкология. Буквально сгорел за несколько месяцев. Проклятая болезнь. Эльбрус-муэллим даже оплачивал его лечение. Но там уже ничего нельзя было сделать. Он был совсем не старым. Сорок восемь лет.

— У него была семья?

— А при чем тут его семья? — дернулся Рагиб.

— Просто хотел уточнить.

— Была, конечно, — неохотно произнес Рагиб. — Жена и двое детей. Зачем вы спрашиваете?

— Им чем-то помогли после смерти отца?

— Какая помощь? — недовольно сказал Рагиб. — Алхасов и так много сделал для этой семьи, до последнего дня оплачивал лечение. Теперь его жена получает пенсию за своего мужа.

— И все?

— Не интересовался... Что ж такое, почему Шукуфа не идет?! — пробормотал он с раздражением и снова посмотрел на часы. — Пойду узнаю, где она. Извините.

Рагиб пошел в дом. Дронго не стал его останавливать. Он решил пройти к озеру, рядом с которым была калитка. Светильники хорошо освещали тропинку. Дронго обошел озеро и не сразу нашел калитку, спрятавшуюся в густых зарослях. Он подошел ближе и с удивлением обнаружил, что она не заперта. В это же мгновение калитка распахнулась, и вошел Керим. Увидев гостя, тот явно смутился. Но затем широко улыбнулся.

— Добрый вечер, — кивнул Дронго.

— Да, добрый, — пробормотал Керим.

Он тщательно запер за собой дверцу. Повернулся к гостю.

— Что вы здесь делаете? — мрачно осведомился Керим.

— Гуляю, — спокойно пояснил Дронго. — Просто стало интересно. Про этот выход мне рассказал ваш отец.

— Тогда понятно.

— Я могу задать вам тот же вопрос? Что вы делаете так поздно за пределами вашего поместья?

— Тоже гуляю, — нагло усмехнулся Керим. — Очень удобно. Можно выходить и заходить, не беспокоя наших «горилл», которые по каждому случаю будут докладывать моему отцу.

— Это вам не нравится?

— Не очень. У каждого человека есть право на личную жизнь. А моему отцу нравится держать все под контролем.

Они повернули к дому.

— Учитывая, что здесь недавно произошло чрезвычайное событие, я бы не советовал вам гулять по ночам, — предупредил Дронго.

— Вы про Лиду? — даже улыбнулся Керим. — Ничего страшного. Я не очень боюсь. Наверно, появился какой-то кретин, который решил самоутвердиться таким образом. На моего отца вякнуть нельзя, на членов его семьи тоже нельзя. А вот домработницу задушить можно. Знаете, это как убивают собаку назло их хозяевам.

— Вам не говорили, что вы циник? — нахмурился Дронго.

— Да. Возможно. Но только этим можно объяснить ее убийство. Иначе зачем убивать бедную женщину. Денег у нее с собой наверняка не было, никакого интереса как женщина она явно не представляла. Значит, только месть. У нас в стране все еще есть люди, которые не могли свести счеты с моим отцом, когда он был при власти. Решили отомстить вот таким глупым способом.

— И вам не жаль эту женщину, которая столько лет работала на вашу семью?

— Конечно, жаль. Я же не бесчувственный урод. Просто вы спросили, и я честно ответил. Никаких других мотивов быть не может. Я был в селе, и там тоже говорят, что это могла быть месть самому Алхасову...

— Вы были в селе?

— Да, — осекся Керим. Он понял, что проговорился. — Только давайте сразу договоримся, что вы об этом не слышали. И никому не нужно рассказывать. Тем более моему отцу.

— Завтра утром приедет прокурор и следователь. Их может заинтересовать ваш ночной поход, — предупредил Дронго, — и тогда его сложно будет скрыть.

— Вы просто ничего не видели, — предложил Керим, — а я буду все отрицать.

— Тогда подозрение может пасть на вас. Обоснованное подозрение.

— Что я задушил домработницу? — неестественно рассмеялся Керим. — Думаю, что никто не поверит. Зачем? Для чего? Чтобы досадить отцу и сделать ему гадость? Как женщина, она меня вообще не интересовала. Для меня она была как инвентарь, как мебель.

— Перестаньте, — оборвал его Дронго. — Она все-таки сегодня умерла.

— Мир ее праху, — пробормотал Керим. — Жалко, конечно. Я живой человек и все чувствую. Но лицемерно убиваться из-за этой потери я тоже не буду. Люди вообще часто лгут и притворяются. Или вы считаете, что нашей семье нужно объявить траур по погибшей? Это всего лишь неприятный инцидент. В компании моего отца несколько тысяч сотрудников. Мы не можем каждый раз изображать убитых горем людей. Разве вы со мной не согласны?

— Не согласен. И считаю вашу позицию безнравственной, — сурово ответил Дронго.

— Ну и считайте, — махнул рукой Керим. — Спокойной ночи.

— Подождите, — остановил его Дронго. — Вы сказали, что ходили сейчас в село. Ночью. Можно узнать зачем?

— Это мое личное дело, — повернулся к нему Керим. — Если хотите, можете даже рассказать отцу. Я уже достаточно взрослый человек, чтобы ходить куда-то без его разрешения. До свидания.

«Откровенный и предельный циник, — подумал Дронго, — выросло целое поколение молодых людей, которые демонстративно не уважают людей, пренебрегают всеми нормами поведения и не скрывают своего пренебрежения ко всем, кто стоит на социальной лестнице чуть ниже их».

Он вспомнил, как еще десять лет назад они ужинали с министром спорта в небольшом итальянском ресторане. Когда они вышли из ресторана, мимо пронесся «Порше», который мгновение спустя сбил человека в нескольких метрах от них. Несчастный упал на асфальт. Впереди оказалась еще одна машина, и «Порше» пришлось остановиться. Министр закричал изо всех сил, обращаясь к водителю:

— Ты убил человека...

Вальяжно вышедший из машины молодой человек был еще и основательно подшофе.

— Ну и что? — осклабился он. — Значит, убил.

Дронго тогда подумал, что запомнит этот случай на всю жизнь. Он с трудом удержал крупного и высокого министра, готового ринуться в драку. В Баку бы не поняли подобного инцидента. Чиновник такого ранга не имеет права на подобные эмоции. Для этого есть его помощники, телохранители, секретари... Пострадавший выжил, отделавшись незначительными травмами. Инцидент замяли. Но этот «показательный номер» был ужасным свидетельством изменения нравов. Керим был из той же категории опьяненных счастливой жизнью недорослей, считавших, что чужие жизни ничего не стоят. Особенно если это жизни людей, стоящих гораздо ниже на социальной лестнице.

Повернувшись, Дронго пошел в дом. На сегодняшний вечер впечатлений было более чем достаточно. Он поднялся по лестнице, подошел к своей комнате и постучал. Дверь почти сразу открылась. Джил даже не ложилась.

— Ну и как твое расследование? — спросила она. — Уже нашел того, кто совершил этот мерзкий поступок?

— Не нашел. Но обнаружил целую кучу проблем, при которых преступление неминуемо должно было произойти. И нет никакой гарантии, что оно не повторится.

— Даже так? Может, нам лучше уехать отсюда утром?

— Уже не получится. Прибудут прокурор и следователь. И наверняка захотят всех допросить. Все-таки подобные преступления в районах происходят не часто.

Он прошел в ванную комнату, раздеваясь на ходу, чтобы принять душ. Ему мучительно хотелось смыть с себя всю грязь, пороки и грехи этого дома.

— Я так и подумала, — призналась Джил. Ее голос раздавался из-за двери. — Я слышала, как за столом вели себя дети хозяина дома. Это было очень непривычно.

— Просто ты не привыкла к подобным вещам, — вздохнул он, вставая под горячий душ.

— Не привыкла, — согласилась она. — В нашей Италии сохранились понятия семьи и уважение к старшим.

— Даже в Италии у каждой семьи есть свои «скелеты в шкафу», — возразил он, — просто никто не желает выносить их на всеобщее обозрение. А здесь уникальный случай. Младший брат болен, и виноват в этом его старший брат. Он же виноват в том, что его дочь не может родить. Он же воспитал сына — морального урода, который вполне может стать законченным подлецом. Плюс еще он постоянно и открыто изменял своей жене. Вот такой коктейль, который постепенно превращается в гремучую смесь. И подобная семья может встретиться и в Италии, и в России, и даже в Индии. История грустная. Алхасов был успешным политическим деятелем и бизнесменом, а свою семью он упустил. Привык ни в чем не отказывать себе, привык жить как ему нравится, не обращая внимания на близких людей. Он допустил типичную ошибку успешных и богатых людей, полагая, что большие деньги нивелируют его внимание, терпение, любовь. Он по-своему всех любил, но только по-своему...

— Ты так говоришь, как будто его жалеешь.

— Да. Мне его жалко. Эта гремучая смесь может взорваться. Убийство Лиды — только первый звоночек. Я в этом почти уверен.

Джил приоткрыла дверь и, не входя в ванную, протянула ему свежее белье. Когда Дронго вышел из ванной комнаты, она была уже в кровати.

— Сегодня у тебя будет сложная ночь, — шутливо заметила она, — тебе придется провести ее на одной кровати с женщиной. Представляю, как тебе будет тяжело.

— С любимой женщиной, — пробормотал он, усаживаясь на край кровати, — можно задать тебе вопрос?

— Судя по твоему тону, что-то не очень приятное. Задавай, — согласилась она.

— Мы столько лет вместе, и я часто оставлял вас месяцами одних. Тебя и детей. Путешествовал по всему миру, принимал участие в разных расследованиях, где только не побывал. Часто встречал красивых и умных женщин. И не всегда был идеальным мужем. Во всяком случае, не был образцом для подражания. Но одно могу сказать тебе твердо. Ни разу в жизни я не изменил тебе. Понимаю, что это всего лишь отговорка. Но я имею в виду, что никогда не пытался даже представить себе другую женщину на твоем месте.

Она поднялась и села, облокотившись на подушки.

— Это тебя оправдывает? — поинтересовалась Джил.

— Нет. Конечно, нет. Но все, что я сказал, — правда.

— Я знаю, — очень спокойно ответила Джил. — Ты не можешь быть другим. Почти для любой итальянской женщины великий Марчелло Мастроянни был идеалом, кумиром, воплощением всего лучшего в мужчине. Однажды я прочла, что он позвонил и жаловался своей жене, что Катрин Денёв не обращает на него никакого внимания, и она искренне возмущалась. Она хотела, чтобы он всегда был счастлив. При всех обстоятельствах. И такому мужчине не должна была отказывать ни одна женщина в мире. Даже если это был ее муж. Все это закончилось тем, что у Марчелло и Денёв родилась дочь.

— У меня нет детей на стороне, — развел руками Дронго.

– В этом я тоже уверена. Мастроянни не ушел потом и к Фэй Данауэй, которую безумно любил и с которой встречался три года. Но он так и прожил всю жизнь с Флорой Карабеллой, своей единственной супругой. Ровно полвека...

– Как это понимать?

– Так и понимай. Не нужно никаких объяснений. Я просто уверена, абсолютно уверена, что ты всегда будешь возвращаться ко мне и к детям. Что бы ни случилось, каким увлеченным или влюбленным ты ни был. А удержать тебя на месте практически невозможно. Со своей популярностью и известностью ты уже давно не можешь принадлежать одной женщине...

Он взял ее руку, чтобы поцеловать. И тогда она добавила почти неслышно:

– Как бы больно мне не было.

Он услышал. И сжал ее руку. Кажется, он даже пробормотал какое-то слово. Или ей послышалось, что он произнес «прости».

Глава 10

На часах было около восьми, когда они услышали шум подъезжающей машины. Дронго посмотрел в окно. Очевидно, Рагиб привез Шукуфу, чтобы она успела приготовить и подать завтрак. Увидев, что Джил еще спит, Дронго прошел в ванную комнату, чтобы принять утренний душ. Расхожее мнение, что по утрам нужно принимать холодный душ, было явно не для него. Скорее наоборот. Он привык принимать обжигающий тело душ и никогда не экспериментировал с холодными обливаниями. Даже море, рядом с которым он вырос, казалось ему достаточно прохладным, если температура воды опускалась ниже тридцати градусов. Выросший в теплом южном городе, он не любил холодных температур и чувствовал себя достаточно неуютно, когда на улице стояла морозная погода.

Выйдя из ванной, он подумал, что у него появилось еще несколько вопросов к хозяину дома. Пока он одевался, Джил проснулась и молча смотрела на него.

— Запри за мной дверь, — попросил Дронго. — И до завтрака не выходи.

Она молча кивнула. Он вышел из комнаты и дождался, пока она запрет дверь. Если ключ был вставлен с внутренней стороны, то с внешней замок нельзя было открыть. Дронго прошел по коридору, увидев вышедшего из своей комнаты Роберта в спортивном костюме.

— Доброе утро, — пробормотал запыхавшийся Роберт.

— Доброе. Совершаете утреннюю пробежку? — понял Дронго.

— Да. Я часто бегаю по утрам.

Они кивнули друг другу. Дронго прошел к комнате хозяина дома и постучал. Никто не ответил. Он постучал еще раз чуть громче. Снова тишина. Эльбрус либо спал, либо был в ванной комнате. Дронго подумал, что нужно посмотреть в кабинете. Возможно, Алхасов уже прошел туда. Дронго подошел к двери, с удивлением обнаружив, что она приоткрыта. Он вошел в кабинет. Бутылка виски все еще стояла на столике перед диваном, и было заметно, что после их разговора хозяин дома не раз к ней приложился. Дронго обошел кабинет. Остановился у шкафа, где вчера видел три «винчестера», аккуратно стоящих на специальных подставках. Сейчас в шкафу остались только два ружья. Дронго недовольно покачал головой.

Вышел из кабинета и снова приблизился к двери спальни хозяина. Снова постучал. Уже гораздо сильнее. Опять никто не ответил.

Он начал стучать уже кулаком, когда в коридоре появилась Эсмира в белом банном халате. Она подошла к гостю.

— Что случилось? — спросила она. — Почему он не открывает?

— Не знаю. Уже несколько раз стучал.

— Папа! — громко позвала Эсмира, приблизившись к двери вплотную. — Ты меня слышишь?

Прислушались. Тишина. Женщина нахмурилась, достала телефон из кармана халата и набрала номер. Долго ждала.

— Не отвечает...

Голос ее был не столько испуганным, сколько раздраженным.

Открылась дверь соседней комнаты. На пороге появился Салхаб.

— Что вы тут шумите? — недовольно спросил он.

— Папа заперся изнутри и не отвечает, — пояснила Эсмира.

— Наверное, спит, — равнодушно произнес Салхаб, — не обязательно будить весь дом. Проснется и откроет.

— Ты же знаешь, что он обычно не запирает дверь, — нервно произнесла Эсмира.

— Может, сегодня запер, — возразил Салхаб. — Я, например, сегодня тоже заперся.

— Папа!! — снова постучала Эсмира.

— Не нужно ломать дверь, — посоветовал дядя.

— Ты не понимаешь, что я волнуюсь? — зло пробормотала Эсмира. — Может, залезть через окно с улицы? — предложила она.

— Будешь выбивать стекла? Совсем с ума сошла, — отмахнулся Салхаб, — может, он куда-то ушел и запер за собой дверь.

— Он никогда не запирал эту дверь, — возразила Эсмира.

— Тогда ищи своего отца сама, — посоветовал Салхаб, возвращаясь к себе в комнату и захлопывая дверь.

— Больной кретин, — процедила Эсмира, — всегда так. Ему плевать на всех остальных. Думает только о себе. А папа столько для него делает.

Она снова набрала номер отца.

— Куда он делся?! — уже явно нервничая, спросила Эсмира.

— Подождите, — попросил Дронго прислушиваясь и уточнил у Эсмиры: — В спальне есть городской телефон?

— Конечно.

— Позвоните на городской. Может, мобильный он куда-то бросил или оставил в карманах брюк, — предположил Дронго.

Эсмира снова начала набирать номер. Из-за двери раздалась приглушенная трель звонка. Они внимательно слушали. Вдруг послышался какой-то шум. Телефон звонил достаточно долго, пока наконец Эсмира не услышала недовольное рычание отца:

— Кто это?

— Слава богу! — выдохнула Эсмира. — Почему не открываешь? Мы целый час стучим в дверь!

— О чем ты говоришь?

— Открой дверь. Почему ты заперся?

Отец не ответил. Отключился. Через минуту послышались его нетвердые шаги. Наконец он открыл дверь. Эльбрус был в трусах и майке. С помятым лицом и всклокоченными волосами. Увидев Дронго, он буркнул:

— Извините, — и потянулся к вешалке, на которой висел темно-синий халат.

Эсмира и Дронго вошли следом.

— Почему ты запер дверь? — повторила вопрос дочь.

— На всякий случай, — мотнул головой отец, усаживаясь на кровать. Очевидно, у него был похмельный синдром.

— Я же просил вас вчера больше не пить, — напомнил Дронго.

— Я не пил. Почти не пил, — пробормотал Эльбрус.

— Ты совсем опустился, — разозлилась Эсмира. — Нам действительно нужно срочно уехать отсюда.

— Мой телефон остался в кабинете, — вспомнил отец, — а я просто заснул. Не нужно так волноваться. Ничего со мной не случилось.

Эсмира ничего более не сказала, повернулась и вышла из комнаты. Алхасов растерянно взглянул на Дронго.

— Действительно долго стучали?

— Да.

— Ничего не слышал. Крепко спал. Этот виски на меня так подействовал. Может, он вообще был не настоящим. Сейчас столько суррогата готовят.

— В любом случае не стоило так напиваться, — сурово ответил Дронго. — Хорошо, что не забыли запереть за собой дверь. Я так понял, что в вашем доме двери обычно не запираются.

— Зачем? — пожал плечами Эльбрус. Он поднялся, взял бутылку воды и залпом ее выпил.

— Дверь в ваш кабинет тоже осталась открытой, — терпеливо продолжал Дронго.

— Она всегда открыта. Послушайте. У меня в семье, конечно, не все идеально. Но пока ничего не пропадало, и воришек у меня не было. Или в вашей семье вы запираете все двери в комнатах?

— У меня в семье не душили домработницу, — сдержанно напомнил Дронго.

— Да, — согласился Эльбрус, усаживаясь на кровать, — действительно... На меня это плохо подействовало.

— Вчера вы были в кабинете, когда я уходил, — напомнил Дронго, — видимо, еще выпили. А потом пришли сюда и заперлись изнутри. Вы брали «винчестер» из кабинета?

— Нет. Конечно, не брал. Зачем мне это нужно было делать?

— Там, в оружейном шкафу, осталось только два «винчестера», — спокойно пояснил Дронго.

— Как это два? — нахмурился Алхасов. — Там три ружья...

— Уже два, — возразил Дронго. — Можете сами проверить.

Хозяин дома поднялся и поспешил в свой кабинет. Дронго отправился следом. Эльбрус как вкопанный остановился перед оружейным шкафом, все еще не веря своим глазам. Он растерянно оглянулся по сторонам, взглянул на Дронго.

— Куда оно делось? — почему-то шепотом спросил он.

— Это я хотел узнать у вас.

— Откуда я знаю? Вчера здесь было три ружья. Вы же видели.

— Кто-нибудь раньше брал их без вашего разрешения?

— Нет. Без моего разрешения никто. И вообще, их брал только Рагиб перед тем, как мы отправлялись на охоту.

— Может, и сейчас он взял «винчестер»?

— Без моего разрешения? Не предупредив меня? Это невозможно.

— В вашем доме может произойти все, что угодно. Разве вы этого еще не поняли?

— Не нужно так говорить. Никто не посмел бы войти в кабинет и взять ружье без моего разрешения.

— Но его нет...

— Надо вспомнить... Я не все помню... А может, это я сам взял его?

— Тогда вернитесь и посмотрите в спальне, — посоветовал Дронго.

Алхасов кивнул и пошел в спальную комнату. Дронго осмотрел шкаф. Следов взлома не было. Кто-то просто открыл дверцу и вытащил ружье.

На столике под салфеткой лежал забытый телефон Эльбруса Алхасова; его Дронго не заметил, когда заходил сюда в первый раз. Дронго достал носовой платок, чтобы не оставлять свои отпечатки. Проверил последние звонки. Среди входящих – несколько звонков от дочери, когда она стучала в дверь спальни отца и пыталась ему дозвониться. Но что странно – был один исходящий звонок, сделанный всего двадцать минут назад. Кто-то звонил с этого телефона Рагибу: на дисплее высветились его имя и номер телефона. Эльбрус не мог этого сделать, в это время он был заперт в спальне.

Дронго положил телефон на место. Услышал приближающиеся шаги. Снова вбежал Алхасов.

– Там нигде нет ружья! – взволнованно сообщил он. – Это чья-то глупая шутка. Зачем понадобилось забирать мой «винчестер»?

– Ружье было заряжено? – уточнил Дронго.

– К сожалению, да.

– Его взял кто-то из членов вашей семьи. Никто чужой этого сделать не мог. Эсмира умеет обращаться с ним?

Алхасов вздрогнул.

– Почему вы решили начать с нее? – чуть заикаясь, спросил он.

– Это случайный выбор.

– Н-нет. Она два раза была со мной на охоте. Но не любила стрелять. Хотя я ей показывал.

— Надо собрать всех мужчин в вашем доме — сына, брата, зятя — и расспросить каждого.

— За завтраком я соберу всех и выясню, кто это посмел сделать! — повысив голос, жестко пообещал Эльбрус.

— Роберт бывал с вами на охоте?

— Нет. Теперь я должен подозревать всех, кто в доме? Мы найдем «винчестер» и узнаем, кто его взял. Хотя непонятно, почему без моего разрешения.

— А Лиана? Вы показывали ей свою коллекцию? Обычно мужчина пытается произвести впечатление на женщину, показывая свою коллекцию оружия. Может, вы брали ее на охоту или показывали, как обращаться с оружием.

— Да, — недовольно ответил Алхасов, — брал и показывал. Теперь вы думаете, что это она вытащила ружье?

— Просто перечисляю всех, кто находится в доме. Шукуфа могла его вытащить. Чтобы протереть от пыли. Не так ли?

— Никогда. Она даже боялась прикасаться к оружию! — ответил Эльбрус. — Пыль протирал я лично. Черт побери, кто мог это сделать?

— Вы сказали, что ваша дочь не умеет обращаться с оружием, хотя вы пытались ее научить. То есть она могла запомнить, как снимать с предохранителя, передергивать затвор, целиться и нажимать на спусковой крючок?

— Гипотетически да.

— Я обратил внимание на ее натренированные ноги. Она занималась каким-то видом спорта?

— Теннисом. Она даже принимала участие в международных соревнованиях.

— Получается, что, кроме Рагиба, никто и никогда не вынимал оружие из шкафа? Это делал только он, причем по вашему указанию?

— Да. Он выносил оружие в машину, когда мы собирались на охоту. Давайте-ка я ему позвоню и спрошу...

Он протянул руку к телефону. Дронго только успел крикнуть:

— Не трогайте!

— Почему? — отдернул руку Эльбрус.

— Кто-то уже звонил с вашего телефона Рагибу. Примерно полчаса назад. Видимо, как раз перед тем, как забрать ружье из шкафа.

— Звонили с моего телефона? Зачем? У всех в доме есть по два-три телефона.

— Посмотрите сами, — предложил Дронго, обернул телефон платком и поднес экран к глазам Эльбруса.

Алхасов прищурился. Видимо, он уже начинал плохо видеть без очков. Сказывался возраст.

— Да, — сказал он, — кто-то звонил Рагибу.

И в эту секунду издали донесся приглушенный хлопок. Дронго и хозяин дома посмотрели друг на друга.

— Вы слышали? — неуверенно спросил Эльбрус.

— Это звук выстрела. Идемте! — Дронго поспешил к лестнице.

Алхасов побежал следом.

«Странно, что никто не выбежал в коридор, — подумал Дронго. — Неужели, кроме нас, никто не услышал выстрел?»

Они выбежали из дома и увидели стоявшего у крыльца Керима.

— Ты слышал выстрел? — спросил отец.

— У пруда, в той стороне, — пояснил сын, показывая рукой.

Уже втроем они поспешили в сторону пруда. Эльбрус задыхался. Было видно, насколько он встревожен. Они добежали до пруда и тотчас увидели лежащее в кустах ружье. Это был тот самый исчезнувший «винчестер». Эльбрус попытался его взять, как Дронго перехватил его руку.

— Не трогайте. На нем могут быть отпечатки.

Дронго наклонился к ружью.

— Стреляли из него. Вы чувствуете запах пороха? Из ствола идет дымок...

— В кого? — выдохнул Эльбрус. — В кого стреляли?

— Давайте осмотрим все вокруг!

Дронго первым кинулся к пруду, подошел ближе к воде. Ему с трудом удалось сдержаться от восклицания. Следом за ним к пруду подбежали Эльбрус и его сын. В пруду плавало тело. Лицом вниз. Вокруг разрасталось бурое пятно крови. По всей видимости, человек был мертв.

— Господи, — пробормотал Алхасов, — только не это.

Дронго шагнул в воду, подтянул тело к себе. Керим помог ему вытащить труп на траву. Вдвоем они перевернули его.

Это был Рагиб. Выстрел разорвал ему грудную клетку и опрокинул в пруд.

— Вот так, — негромко прокомментировал циничный Керим, — сегодня мы будем прощаться и с нашим верным Рагибом...

— Замолчи! — крикнул отец и тише добавил: — Заткнись.

Со стороны дома уже бежали Роберт и Эльнур. Подбежав, замерли, ошалевшими глазами глядя на убитого.

— Вот так, ребята, — суровым тоном произнес Эльбрус, — у нас очередное убийство. Клянусь Аллахом, я узнаю, кто это сделал.

Некоторое время все четверо мужчин молчали.

«Странно, что сюда не прибежал Салхаб, — подумал Дронго. — Неужели он ничего не слышал?»

Эльбрус звонил охранникам. Было настолько тихо, что можно было слышать доносившийся из трубки голос дежурного:

— Нет, мы не спим, хозяин! Нас вчера предупредили из полиции, чтобы мы усилили бдительность. Мы все на месте. Никто никуда не отлучался.

— Кто входил на территорию за последние час или два? — спросил Алхасов.

— Никто не входил. Только приехал Рагиб и привез Шукуфу.

— Это точно?

— Конечно. У нас есть видеозапись.

— Вы не слышали выстрела?

— Что? — не понял охранник.

— Ясно, — поморщился Эльбрус и отключил телефон. — Они ничего не видели и не слышали. Все как обычно. Просто идиоты. Зачем я плачу этим кретинам, если они ничего не слышат? Керим, проверь калитку.

Сын кивнул и пошел в обход пруда, углубляясь в заросли.

— У вас слишком большая территория, — попытался успокоить хозяина Дронго. — От того места, где дежурит охрана, до пруда приличное расстояние. А если еще и ветер в сторону леса —

не всякий сможет расслышать выстрел. Лучше подумайте, кто мог взять этот «винчестер».

— Будет лучше, если об этом подумаете вы, — огрызнулся Алхасов. Было понятно, что он не в себе. — В конце концов это ваша работа.

— А я думал, что я ваш гость, — сурово отрезал Дронго.

— Извините, — пробормотал Эльбрус. — Конечно, я веду себя глупо. Простите еще раз... Кто же мог его забрать?.. Постойте! — вдруг осенило Эльбруса. — А что, если... если Рагиб сам взял ружье и сам застрелился?

— Нет, — возразил Дронго. — В него стреляли с расстояния нескольких метров. Не меньше пяти. И там же бросили ружье. Это точно не самоубийство.

— Лучше бы это было самоубийство, — пробормотал сквозь зубы хозяин дома.

Появился Керим. Он сохранял на лице то же равнодушно-пренебрежительное выражение.

— Калитка закрыта изнутри, — сообщил он отцу. — Значит, никто не выходил наружу.

Алхасов хмуро взглянул на него, перевел взгляд на Эльнура и Роберта. Затем посмотрел на Дронго.

— И кого мы теперь должны подозревать? Охранники говорят, что сюда приехали только Рагиб и наша кухарка. Вы думаете, что его могла застрелить Шукуфа?

— Я же сказал, что пока ничего не знаю.

— В доме остались еще три женщины и мужчина, — напомнил Эльбрус, — если не считать вашей супруги. И мы четверо. Можно, конечно, предположить невозможное, что кто-то из охранников зашел в дом, взял мой «винчестер», пошел к пруду, застрелил Рагиба, а потом как ни в чем не бывало вернулся в дежурное помещение к воротам.

— Сделать это незаметно для других охранников невозможно, — покачал головой Дронго. — Надеюсь, на ружье остались отпечатки. Хотя надежда очень слабая. Убийца не так глуп, чтобы подставиться на таких очевидных вещах.

— Нужно снова звонить в полицию, — зло пробормотал Алхасов. — Пусть снимут отпечатки, и мы, наконец, узнаем, кто решил устроить охоту на моих сотрудников у меня в доме.

Глава 11

Мужчины вернулись в дом в подавленном настроении. Никто не хотел завтракать. Эльнур поднялся к Эсмире, Роберт поднялся к Лиане. Дронго пошел к Джил. Она, конечно, не спала. И, конечно, слышала выстрел, как и все находящиеся в доме. Но она помнила, что не должна выходить из комнаты.

— Что-то опять произошло? — спросила Джил.

— Да, — кивнул он. — Убит помощник хозяина дома.

Он принялся стаскивать с себя мокрую одежду.

— И после этого мы останемся здесь? Чтобы дождаться третьего убийства? —

достаточно спокойно осведомилась она. Столько лет совместной жизни закалили Джил.

– Мы все равно не сможем уехать прямо сейчас. Скоро здесь будут прокурор, следователь и сотрудники полиции. Если мы уедем, то первыми попадем под подозрение.

Он прошел в ванную комнату.

– Ты подозреваешь кого-нибудь? – крикнула ему Джил.

– Пока нет. Но в доме не так много людей. Пятеро мужчин, не считая меня.

– А женщины? Они вне подозрений?

– Как раз наоборот. Лиду задушили проволокой. И это вполне по силам было сделать женщине. Еще проще было выстрелить в Рагиба. С такой задачей справился бы и подросток. Что мы знаем? Эсмира утром некоторое время находилась у спальни отца. Но она была в поле моего зрения всего несколько минут. Затем Лиана. Где она была утром? Есть еще и кухарка, хотя я сильно сомневаюсь, что она успела бы выстрелить и вернуться. А вот Эсмира и Лиана сделали бы это легко. Как, собственно, и мужчины, – Дронго встал под горячий душ.

– Итого восемь подозреваемых? – подвела итог Джил.

– Скорее семь, – устало пояснил Дронго, доставая новое полотенце. – Хозяин дома с утра был в очень плохом состоянии и с большим трудом приходил в себя.

— А если он всего лишь талантливо сыграл похмелье?

— Всегда знал, что ты умная женщина.

— Ты по-прежнему считаешь, что мотивом двух убийств было желание зарыть в землю какие-то тайны, ставшие известными Лиде и Рагибу?

— Да, по-прежнему считаю так. Лида что-то узнала, чего знать была не должна, и поплатилась за это жизнью. А Рагиб мог оказаться случайным свидетелем убийства, либо просто догадался, кто убийца. И тем самым поставил крест на своей жизни. И тогда убийца застрелил его у пруда.

— Достаточно стройная логика, — оценила Джил. — И кто же этот злодей?

— Пытаюсь понять. Сын Керим абсолютно невозмутимо отреагировал на убийство Рагиба, словно ждал подобной трагедии. Зять тоже не выказал особого удивления. Роберт был скорее разозлен, чем испуган. Салхаб, который наверняка слышал выстрел, вообще не вышел из дома. Добавим Лиану, которая не просто посвящена во все секреты этой семьи, но уже помогала хозяину дома в не очень благовидном деле. Она много знает такого, о чем никто не должен был знать. И, наконец, Эсмира, известная нам очень напряженными отношениями с отцом и братом.

— Как ужасно. Получается, что все могли совершить подобное преступление.

— Салхаб не очень любит своего старшего брата, считая его виновным во всех своих бедах. У Роберта тоже есть причина ненавидеть Алхасова, учитывая тайные связи его жены с ним. Кроме того, Роберт был в курсе многих финансовых секретов Алхасова, так как Эльбрус часто проводил деньги через грузинский банк, где работает Роберт.

— В этом доме вообще есть люди, которые любят друг друга?

— Керим мог понять, что пришло время ему брать дело в свои руки, — продолжал Дронго. — Но то же самое мог понять и зять Алхасова, подстрекаемый своей супругой. Версий много, а истина, как обычно, только одна.

— Я думала, что подобные преступления бывают только у нас на Западе. Здесь должны были существовать более патриархальные, а значит, и моральные нравы.

— Ты уже говорила об этом. Не нужно недооценивать развитие цивилизации даже в самых патриархальных местах.

— По-твоему, развитие цивилизации обязательно приведет к полному забвению семейных ценностей? Отрицанию всяких моральных норм?

— Вот это как раз относится именно к западной цивилизации с ее доведенными до абсурда гипертрофированными либеральными идеями. Ты в курсе, что на Берлинском кинофестивале объявили: теперь не будет призов за лучшую женскую и лучшую мужскую роль. Призы будут присуждать независимо от пола. По-моему, искусственное игнорирование гендерных признаков как раз и нарушает эти самые гендерные нормы. Дальше — больше: открываются туалеты, куда могут зайти люди, не считающие себя мужчинами или женщинами. А расовая тема, доведенная в Соединенных Штатах до абсурда? Речь уже идет о том, чтобы запретить шахматы. Ведь там первый ход всегда делают белые фигуры. Массово сносят памятники южанам, многие из которых были порядочными людьми, настоящими патриотами страны. Расизм порочен по своей сути, но любая благородная идея может быть доведена до абсурда. Что сегодня и происходит. Я не говорю уже о том, как воспринимают в Штатах обычный комплимент женщине, за который можно запросто угодить за решетку. Попробуй только помочь даме выйти из машины или подать ей пальто. Боюсь, что все это в конце концов приведет либо к резкому росту консерватизма, либо к полному отрицанию всех выработанных человечеством правил и норм — религиозных, нравственных, семейных...

— Если будешь продолжать, я приду к выводу, что ты на стороне антиглобалистов, — пошутила Джил.

— Я на стороне здравого смысла. Ты знаешь мои принципы. Свобода — это не возможность делать все, что ты хочешь, не вседозволенность. Свобода — это когда никто не может заставить тебя делать то, что ты не хочешь. Это свобода твоего выбора, не ограниченная рамками никаких навязанных тебе доктрин. А когда меня загоняют в прокрустово ложе догм, я начинаю бунтовать.

Во многих европейских странах известный детектив Агаты Кристи «Десять негритят» переименовывают в «Их было десять», убирая вообще слово «негритят», которое вызывает у них отрицание. А как можно запрещать английский народный гимн, в котором есть гордые слова «мы не рабы». Оказывается, само упоминание этого слова кого-то оскорбляет. По-моему, дело доходит до маразма.

Я абсолютно искренне считаю, что сказать женщине комплимент или предложить встретиться понравившейся тебе особе — вовсе не оскорбление или вызов, а проявление симпатии, если не любви. Я считаю, что нужно пропускать даму вперед, помогать ей садиться в машину, подавать ей пальто и всячески о ней заботиться. Не вижу в этом ничего плохого. Я всегда выступал за свободу нравов. Человек имеет право встречаться с кем угодно и как угодно. Но он не должен навязывать свои взгляды и привычки другим, у которых своя свобода. Ведь свобода универсальное понятие. Вы имеете право жить как вам нравится, а я имею право жить как нравиться мне. Никто не имеет права устанавливать истину в последней инстанции. Поэтому важна не только жизнь черных. Важна жизнь каждого человека, независимо от цвета его кожи. Приоритеты должны быть универсальны. Каждый человек рожден свободным и имеет свои естественные права. А извиняться за рабство, которое было триста или двести лет назад, по-моему, несколько нелепо. Я белый человек, мои предки всегда жили на Кавказе и не имели никакого отношения к вывозу чернокожих людей из Африки на невольничьих суднах. Почему я обязан отвечать за поступки белых людей, совершенные в другие эпохи и в других странах? Увы, помимо прекрасных моментов в истории человечества, было множество ошибок и тяжких преступлений. Всё это давно осуждено. Теперь человечеству надо думать о том, чтобы не повторить этот кошмар в будущем, а не вынуждать всю планету каяться и извиняться друг перед другом за прошлое. У нас тогда и целой жизни не хватит на все эти извинения и покаяния...

Джил протянула Дронго халат и уточнила:

– И ты полагаешь, что тебя могут понять?

– Я уверен, что рано или поздно мы придем к пониманию необходимости свободы каждого человека, отсутствия претензий, уважения прав и равенства всех людей перед законом, независимо от его расовой, половой, религиозной, социальной принадлежности.

– И какое отношение это имеет к нашим проблемам в этом доме?

– Самое прямое. Нарушены основополагающие принципы, на которых держатся семьи в этой стране. Поэтому здесь все не так, как в традиционных семьях. И это приводит к трагедиям.

Внизу раздались сигналы приехавших автомобилей. Прибыли не только следователь и прокурор, но и полицейские машины оперативной группы. Дронго закончил одеваться и невесело усмехнулся.

– Кажется, мы все останемся без завтрака. Потерпишь?

– Конечно. Ничего страшного.

– Я постараюсь организовать тебе бутерброды, – пробормотал он, – только не открывай никому дверь.

Когда Дронго вышел в коридор, то увидел Лиану в длинном черном платье. Женщина с любопытством смотрела на него.

— Я слышала, что у нас снова убийство? — спросила она. Невозможно было не заметить ее волнения.

— Да. У пруда, — кивнул Дронго.

— Его действительно застрелили?

— Вам наверняка уже обо всем рассказал ваш супруг.

— Лишь в общих чертах. Он пошел вниз, чтобы узнать, когда будет завтрак.

— Не слишком ли цинично?

— По-моему, нет. Очень прозаично. Мы наверняка останемся без обеда, а может, и без ужина.

— Это вас сейчас больше всего волнует?

— Не я же сыщик, а вы, — мрачно ответила она. — А почему Джил все время запирается на ключ? Боитесь, что кто-то может войти в вашу комнату?

— Боюсь, что убийство Рагиба — не последнее в этом поместье, — достаточно откровенно ответил он.

Она нахмурилась.

— Кто, по-вашему, мог сделать подобное? Керим? Эльнур? Салхаб?

— Вы не назвали своего мужа.

— Потому что точно знаю, что он не стрелял.

— В момент выстрела он был с вами?

— Д-да, — сказала она, чуть запнувшись, на что Дронго тотчас обратил внимание.

— Он не был с вами, — нахмурился Дронго, — и не нужно сейчас лихорадочно придумывать ему алиби.

— Роберт боится располнеть и потому бегает по утрам. И еще он снова начал курить. Когда он бросил курить, то сразу поправился.

— Значит, он не был с вами в момент выстрела.

— Не был. Но я уверена, что он не мог выстрелить в человека. Для этого нужен совсем другой тип мужчины.

— А что, у вас было много знакомых мужчин — убийц? — спросил Дронго.

Она снова усмехнулась.

— У меня не было таких знакомых, — ответила Лиана, — просто я живу с Робертом и хорошо представляю, на что он способен, а на что — нет.

— Кто-то взял ружье из кабинета Алхасова, которым и был застрелен Рагиб. Насколько я помню, вчера вечером вы заходили к нему в кабинет.

— Ну и что? Это значит, что ружье забрала я? — иронично осведомилась Лиана. — Я была о вас лучшего мнения. Поверьте, я ничего не трогала и тем более не стреляла в Рагиба.

— Вы умеете стрелять?

— Умею. Я могла бы солгать, но не хочу. Я занималась стрельбой из лука. Была даже вице-чемпионом Грузии. Иногда стреляла из ружья. Но это для забавы. По тарелочкам. Ну как? Теперь я ваш главный подозреваемый?

— Не уверен. В убитого стреляли почти в упор, с нескольких метров. Для такого выстрела не обязательно быть вице-чемпионом. Для этого достаточно вообще держать ружье первый раз в жизни.

— Вы меня успокоили.

— Напрасно. Я бы на вашем месте не успокаивался.

— Могу узнать — почему?

— Вчера кто-то задушил Лиду, а сегодня застрелили Рагиба. И убийца сейчас находится рядом с нами.

— Почему вы так уверены?

— Потому что никто после выстрела не вышел из поместья. Подозревать можно каждого, кроме хозяина дома.

— Почему? Почему вы исключаете его из этого списка?

— Он был рядом со мной, когда раздался выстрел. Поэтому я его исключил. Джил и кухарку тоже можем исключить. Они вчера никуда не выходили из дома. Остаются четверо мужчин. Салхаб, Керим, Эльнур, Роберт. И две женщины. Вы и дочь хозяина. Как видите, работы много, выбор большой.

– Но больше всех вы все равно подозреваете меня, – спокойно предположила Лиана. – Я просто идеальный кандидат. Ведь это я отравила племянника Алхасова. Он попросил, и я сделала, потому что терпеть не могу этого молодого хама. Кроме того, мы с Робертом здесь единственные, кто не связан родственными узами с хозяином дома. Остальные – члены его семьи. Вот и всё. Остаемся я и Роберт. Все правильно?

– Почти. Непонятен только мотив. Должен быть мотив, иначе вся эта конструкция рушится.

– Слава богу, – произнесла она, – оказывается, вы можете говорить обнадеживающие и даже приятные вещи.

– Не спешите, – пробормотал Дронго. – Если попадется достаточно въедливый следователь, то он быстро найдет мотив. Не забывайте, что мы находимся не в Европе.

– Не совсем поняла. При чем тут Европа.

– Я разговаривал с младшим братом Алхасова. Кажется, он немного влюблен в вас.

– Возможно. А какое отношение это имеет к моей личной жизни?

– Салхаб ревновал вас к своему брату. Вы слишком много времени проводили вместе.

И вы об этом знаете. Более того. Вы знаете и о том, что Салхаб проболтался о ваших прежних отношениях с его старшим братом.

Она не покраснела, не смутилась. Даже не отвела взгляда. Просто смотрела ему в глаза.

— Да, — твердо произнесла Лиана. — Салхаб выдал все моему супругу. Но тот поступил как настоящий мужчина. Он не поверил мерзавцу, потому что понял — это своеобразная месть озлобленного и больного человека. Роберт видит, что в моих отношениях с Эльбрусом нет и намека на интим. Хотя Алхасов был не против, но я считала подобное поведение просто безнравственным. И категорически ему отказала.

— Странная логика. При всем этом вы продолжали смотреть за его младшим братом, бывать в этом доме и принимать зарплату от хозяина. Вы же знаете, что вас ненавидят родственники Эльбруса! Или вы не можете разорвать с ним из-за того, что Роберт связан с Алхасовым финансовыми узами?

— Возможно, и поэтому, — задумчиво произнесла Лиана. — Хотя мы твердо решили, что это будет наш последний визит сюда. Мы собираемся объявить об этом Эльбрусу. Слишком неприятно чувствовать, как все вокруг нас ненавидят.

Внизу раздался шум подъезжающих машин.

— Сейчас у нас будет много работы, — пробормотал Дронго. — И очень сложно будет объяснить, что здесь происходит. Я бы на месте следователя никому бы не поверил.

— Возможно, он последует вашему совету, — кивнула Лиана.

Дронго поспешил к лестнице. Увидел стоявших внизу Керима и Роберта. Когда он обернулся, то заметил, как быстро закрылась дверь в комнату Салхаба. Возможно, младший брат подслушивал их разговор с Лианой. Дронго поморщился. Нужно было говорить тише. И предусмотреть, что, помимо убитой Лиды, чужие тайны в этом доме интересуют многих, если не всех...

Глава 12

Прокурор Наим Мансуров был родственником одного из высокопоставленных сотрудников администрации президента, и об этом все знали. Точнее, сам прокурор сделал все, чтобы об этом узнали как можно больше людей. Прокурор был чуть ниже среднего роста, со сросшимися бровями, смешным, почти кукольным лицом и фигурой, напоминающей раздувшийся шар. Поговаривали, что Мансурова активно продвигают в прокуратуру республики, где тот займет более ответственный пост. Возможно, станет начальником управления или заместителем прокурора республики. И поэтому сейчас он пребывал в раздраженном состоянии, мрачно взирая на все происходящее. Ему совсем не хотелось, чтобы двойное убийство в доме бывшего чиновника испортило его карьеру.

Мансуров вежливо поздоровался с хозяином дома и прошел в гостиную. За ним последовали начальник полиции, следователь и два криминалиста. Они недолго поговорили, после чего криминалисты и приехавшие эксперты поспешили к телу Рагиба, а один из офицеров полиции пошел допрашивать охранников. Прокурор же приказал собрать всех находившихся в доме в гостиной.

Шукуфа постучала во все комнаты, приглашая вниз. Через десять минут в гостиной появился хозяин дома. Следом за ним – Дронго и Джил. Минутой позже на стулья сели Роберт с Лианой. Эльнур появился в гостиной один и терпеливо ждал свою супругу. Затем появился Керим. Последним вошел Салхаб и сел на диван.

– Все? – спросил прокурор.

– Нет, не все, – раздраженно ответил Эльбрус. – Куда делась твоя жена, Эльнур?

– Она сказала, что сейчас спустится...

– Она может спуститься через час, – разозлился Алхасов. – Поднимись наверх и приведи сюда свою жену. Немедленно.

Эльнур кивнул и быстро вышел из гостиной.

– Сейчас они спустятся, – сказал Эльбрус прокурору.

— Очень хорошо, — кивнул Мансуров. — Значит, здесь ваш сын, ваш зять с вашей дочерью. И ваш уважаемый брат. Это я знаю. А кто эти две пары? Иностранцы? — Он не сумел даже скрыть промелькнувшее удовлетворение. Легче всего обвинить во всех преступлениях кого-то из прибывших иностранцев.

— Это гости из Грузии, — пояснил Алхасов, показывая в сторону Роберта и Лианы. — Мы знакомы уже много лет. А это тот самый эксперт, о котором вам рассказывал Фазиль. Он тоже приехал с супругой.

Прокурор перевел взгляд на Дронго и приветливо улыбнулся.

— Значит, вы тот самый специалист по раскрытию преступлений? — уточнил он.

— Меня обычно называют Дронго.

— Да. Я слышал. Такое необычное имя. Почему вас так называют?

— Это прозвище. По имени небольшой птички, которая умеет имитировать голоса крупных хищных птиц и ничего не боится.

— Вас называют по имени птицы? — удивился Мансуров. — Странно.

— Почему? У многих народов есть имена и фамилии, связанные с птицами. Например, в России столько, что сложно даже перечислить — Орлов, Коршунов, Воробьев, Галкин,

Дроздов и так далее. У нас столько имен – Турач, Кяклик, Гартал, Бюль-Бюль, Шаин.

– Моего отца зовут Шаин, – вспомнил прокурор.

– В переводе означает Сокол, – напомнил Дронго.

– Никогда об этом не думал. Значит, в доме были только вы все, – прокурор обвел взглядом присутствующих, – и никого больше?

– Совершенно верно, – подтвердил Эльбрус. – Больше никого не было.

– У них вход находится под наблюдением камер и охранников, – вмешался начальник полиции. – Есть еще калитка за прудом. Но она заперта изнутри. Ее нельзя открыть снаружи.

– Понятно, – ответил прокурор, хотя на самом деле ему ничего не было понятно.

Мансуров ни одного дня не проработал следователем, он вообще не знал и не понимал эту деятельность. После окончания юридического факультета его устроили в хозяйственное управление прокуратуры, затем некоторое время он работал в таком же управлении МВД республики. И получил назначение прокурора района, минуя остальные должности. Потому он не знал, как нужно действовать в таких случаях. В этом благополучном и спокойном районе редко когда случались происшествия, да и то ими занималась исключительно полиция. Прокурору просто надо было отсидеть тут положенный срок, а затем перевестись в Баку. Поэтому он очень обрадовался, узнав, что в доме находится известный эксперт.

— Может, убийца сбежал через калитку, а кто-то случайно закрыл за ним дверь. Или нарочно закрыл, чтобы скрыть убийство, — глубокомысленно изрек Мансуров.

— Не получается, — хмуро ответил начальник полиции. — Прежде чем сбежать через калитку, убийца должен был сначала вбежать в нее. Дело в том, что перед убийством кто-то влез в кабинет уважаемого Эльбруса-муэллима и взял его ружье.

— Это наверняка был чужой человек, посторонний, — воодушевленно произнес прокурор.

— А кто тогда открыл дверь дома, чтобы впустить злоумышленника? — не унимался Фазиль.

— Откуда я знаю, — разозлился Мансуров. — Пусть следователь выясняет. И ваши офицеры. Кого я должен подозревать? Скажите, и я сразу дам ордер на его арест.

— Вы дадите разрешение на передачу дела в суд, который уже и вынесет постановление для ареста, — напомнил начальник полиции.

— Да, — не смущаясь, кивнул прокурор, — у нас сейчас демократия. Прокурора лишили даже возможности арестовывать преступников.

Нужно передавать их в суд, а потом, если будет решение суда, отправлять их в тюрьму. Черт-те что придумали!

В гостиную вошла Эсмира в белом брючном костюме. Она села на диван, рядом с дядей. Муж пристроился рядом на свободном стуле.

— Что нам делать, уважаемый Эльбрус-муэллим? — обратился к хозяину дома Мансуров. — Как нам быть? Где нам искать этого убийцу?

— Если бы я знал, то сам первый указал бы на него, — ответил Алхасов.

— Мы сейчас проверяем отпечатки пальцев на ружье, из которого стреляли, — пояснил начальник полиции.

— Проверьте телефон Алхасова, — подал голос Дронго. — Возможно, там тоже сохранились отпечатки пальцев. Кто-то звонил с его телефона Рагибу незадолго до его убийства. Возможно, Рагиб таким образом был вызван к пруду.

— Откуда вы знаете про телефон? — уточнил начальник полиции.

— Утром я обнаружил пропажу ружья и увидел телефон Алхасова, оставленный в кабинете. Последний исходящий вызов был сделан с этого телефона именно Рагибу.

— Вы можете дать свой телефон? — попросил Фазиль.

Эльбрус вытащил из кармана телефон, протянул его начальнику полиции. Тот достал полиэтиленовый пакетик, опустил в него телефон и положил перед собой.

— Мы все проверим, — сказал он, обращаясь скорее к прокурору, чем к присутствующим.

— И проверьте все в кабинете хозяина, — предложил Дронго. — Утром там побывал возможный убийца. Снимите все отпечатки пальцев.

— Сделаем, — кивнул Фазиль. — А вы никого утром не видели около кабинета?

— Нет, — солгал Дронго, не глядя на Эсмиру.

Она тоже молчала. Алхасов нахмурился, посмотрел на него, затем перевел взгляд на дочь, но тоже промолчал.

— Мы заберем ружье, — сказал Фазиль, обращаясь к Эльбрусу, — и ваш телефон. Если можно, мы хотели бы взять отпечатки пальцев у всех присутствующих, включая кухарку и охранников.

— Давайте, — согласился Эльбрус.

— И тогда мы быстро найдем преступника, — обрадовался прокурор.

Начальник полиции взглянул на него и сокрушенно покачал головой.

— Да, — негромко согласился он, — возможно, найдем. Было бы очень хорошо, если бы господин Дронго согласился нам помочь.

Прокурор поднялся со стула и, обращаясь к Алхасову, сказал:

— Мы найдем того, кто это сделал. Можете не сомневаться. Фазиль, останься! Продолжай расследование! — Он кивнул остальным и вышел из гостиной. Алхасов поспешил его проводить.

Оставшийся в гостиной начальник полиции взглянул на Керима.

— Я хотел вас спросить. Вы вчера ночью ходили в село.

— Да, — кивнул Керим, — действительно ходил.

— С какой целью? — уточнил Фазиль.

В гостиную почти неслышно вошел Эльбрус.

— Это мое личное дело, — огрызнулся Керим.

— В этом случае нет, — возразил начальник полиции. — Вы должны будете пояснить, зачем и куда именно вы ходили.

— Я так и думала, что ты не отлипнешь от этой дряни, — подала голос Эсмира.

— Это не твое дело, — разозлился Керим.

— Началась семейная свара, — прокомментировал Салхаб. — Кажется, у меня начинает болеть голова. Хотя в последнее время она болит у меня все время.

— Замолчите все, — подал голос Алхасов. — Ты опять ходил к вдове? Совсем совесть потерял? Я тебе запрещал туда ходить.

— Я уже взрослый человек, — зло произнес его сын, — и могу сам решать, куда мне ходить.

Спросите у нее, она подтвердит. Я только выпил там чашку кофе и сразу вернулся назад. Ваш эксперт меня видел, когда я вернулся домой. Может подтвердить. Ты сейчас веришь ему больше, чем собственному сыну.

— Он действительно вернулся вечером и запер калитку изнутри, — пояснил Дронго. — И мы действительно виделись.

— И я никого не душил и не стрелял, — добавил Керим. — Можете узнать у вдовы. Я никуда больше не заходил.

— Мы все проверим, — кивнул начальник полиции. — И еще я попрошу всех никуда не уезжать. Хотя бы до завтрашнего утра. Могут понадобиться ваши объяснения для следователя.

— Может, вы еще арестуете нас или посадите под домашний арест? — вмешалась Эсмира. — Я собиралась вечером отсюда уехать. Если нужно кого-то оставить, я могу оставить своего мужа. Пусть сидит здесь еще несколько дней. А сама собираюсь уехать. Мне эти кровавые и глупые истории совсем не нравятся.

— Простите, Эсмира-ханум, — произнес несколько смущенный Фазиль, — но я должен буду настаивать, чтобы никто отсюда не уезжал.

— Только этого нам не хватало, — добавила Эсмира.

— Давайте все успокоимся и решим, как нам дальше быть, — предложил Эльбрус.

— Мы еще не завтракали, — заметил Салхаб.

— Потерпишь, — оборвал его старший брат. — Шукуфа, иди на кухню и все приготовь.

Кухарка не стала говорить, что все давно готово, и молча пошла на кухню. Европейская кухарка сразу бы об этом сообщила. Кухарка в восточной семье — никогда. Это было бы знаком неуважения к хозяину дома. Почти хамством. В азербайджанском языке это означает «вернуть слова». То есть прокомментировать слова хозяина, как бы опровергая его.

— Я не хочу спрашивать, кто из вас сделал это, — сурово произнес хозяин дома, — но хочу сказать откровенно. Кто бы это ни сделал, он будет отвечать по закону. И я никого не собираюсь покрывать или защищать от правосудия.

Он обвел всех и кивнул начальнику полиции. Фазиль поднялся со своего места. И, уже обращаясь к Дронго, сказал:

— Самое неприятное, что непонятны мотивы этих двух преступлений. Кому могло понадобиться такое двойное убийство? Сначала задушили Лиду, потом застрелили Рагиба. Кому они мешали? В чем причина?

— Если мы сможем вычислить мотивы, то легко найдем преступника, — ответил Дронго, — но я уверен, что оба убитых узнали о некой тайне, о которой они не должны были знать. И поэтому их убили.

— Тогда скажите, какая тайна могла стать поводом к двойному убийству? — сразу спросил Фазиль.

Дронго покачал головой.

— Может, это месть? — подал голос Керим. — Решили таким образом досадить моему отцу.

Дронго увидел, как изменилось лицо у Лианы, как вздрогнул Эльбрус и как сжала кулаки Эсмира.

— Вы считаете, что вашему отцу могли мстить таким страшным образом? — не поверил услышанному Фазиль.

— Конечно, — Керим обвел взглядом присутствующих, задержав свой взгляд на Роберте. Некоторые из присутствующих поняли его намек. Поэтому переглянулись. Лиана вспыхнула. Она тоже поняла более чем прозрачный намек. Роберт мог мстить хозяину дома за его прежнюю связь с его супругой.

— Хватит, — недовольно прервал Керима отец, — хватит говорить глупости. Если я сделал что-то неправильное или недостойное, то отвечу за это сам. Зачем душить несчастную Лиду или стрелять в Рагиба?

— Все могло быть иначе, — добавил Фазиль. — Например, Рагиб задушил Лиду. Кто-то узнал об этом и решил его застрелить. Мы проверили и уточнили, что Рагиб ночью пришел в село вместе с Шукуфой. И он был последним, кто видел Лиду живой.

– Тогда найдите этого «народного мстителя», – предложила Эсмира, – который сумел вычислить убийцу и наказать. По-моему, только один человек справится с такой ролью. Это наш уважаемый эксперт, – не без насмешки добавила она.

Дронго увидел, как нахмурилась Джил. Но не стала опровергать эти слова. Она была достаточно выдержанным человеком, чтобы не начать здесь полемику. Вместо нее вмешался Эльбрус.

– Перестаньте пороть чушь, – недовольно произнес он, – я скорее подумаю, что это ты стреляла в Рагиба, чем наш гость. И не потому, что я так тебя не люблю, а ему доверяю больше. Просто в тот момент, когда раздался выстрел, мы сидели вместе. И оба услышали выстрел. Значит, мы двое точно не могли застрелить Рагиба. Это был кто-то другой.

– Вы подтверждаете слова уважаемого Эльбруса-муэллим? – уточнил начальник полиции.

– Конечно, – кивнул Дронго. – Утром мы были вместе в кабинете, когда обнаружили пропажу ружья. Начали его поиски, и тогда раздался выстрел. Мы побежали в сторону пруда.

– И никого не встретили?

— Нет.

— Простите, — произнес Фазиль. — Я задам всем только один вопрос и прошу ответить на него искренне. Скажите, Керим, вы умеете стрелять?

— Да, — кивнул Керим.

— А вы? — обратился Фазиль к Салхабу.

— Мой старший брат не берет меня на охоту. Он мне не доверяет, — насмешливо ответил Салхаб. — Нет. Кажется, у меня скоро будет еще один приступ.

— Вы? — спросил начальник полиции у Роберта.

— Наверно, да. Но никогда не стрелял, — признался Роберт.

— Вы? — спросил Фазиль у Эсмиры.

— Я умею стрелять, — ответила она.

— А вы? — на этот раз вопрос был задан ее супругу.

— Никогда не стрелял, — пробормотал Эльнур.

— Вы? — Фазиль перевел взгляд на Джил.

— Нет, — коротко ответила она.

— А вы? — уточнил он у Лианы.

— Я умею стрелять, — холодно отозвалась она.

— Вас я не спрашиваю, — сказал Фазиль, обращаясь к Дронго, — вы наверняка умеете стрелять.

— Да, — кивнул Дронго. — Более того, в советское время я получил звание «мастера спорта». Но в данном случае это не столь важно. Убийца стрелял с такого расстояния, с какого в свою жертву мог попасть даже дилетант.

— И все-таки попрошу всех оставаться в доме, — напомнил Фазиль, поднимаясь со стула.

— Вы опросили не всех, — насмешливо подала голос Эсмира. — Вы забыли спросить моего отца. Это было его ружье.

— Я знаю, что ваш отец умеет стрелять и что это были его ружья, — сдержанно пояснил начальник полиции.

— Еще и Шукуфа, — не унималась Эсмира, продолжая ерничать, — нужно было спросить и у нее.

Отец покачал головой.

— Мы сделаем иначе, — предложил Фазиль, — если разрешит Эльбрус-муэллим. Сейчас мои дознаватели вместе со следователем пройдут в соседний домик и там начнут допрашивать каждого из присутствующих по отдельности.

— Но это же домик для прислуги! — насмешливо фыркнула Эсмира. — Вы бы еще в котельной устроились.

— Ничего, — ответил начальник полиции, — так будет удобнее. И мы вас не будем без причины тревожить, и вы нас не станете отвлекать.

— Какая деликатность, — снова не выдержала Эсмира.

— До свидания, — сказал Фазиль, выходя из гостиной.

Эльбрус зло взглянул на дочь и поспешил следом. Никто не мог даже предположить, что до следующего убийства осталось совсем немного времени.

Глава 13

— Тебе не кажется, что здесь начался настоящий сумасшедший дом, — спросила Джил, когда они поднялись в комнату. — Никто не захотел сидеть за общим столом и нормально завтракать. Каждый похватал со стола что попадалось и уходил к себе. У меня полное ощущение, что все просто не могут уже видеть друг друга.

— Похоже, — согласился Дронго. — Дело в том, что все мы понимаем: оба убийства совершены кем-то из нас. Поэтому люди нервничают, прячут глаза, подозревают друг друга.

— Но все могло быть иначе, если бы эти преступления произошли в другом доме, в другой семье, — предположила

Джил. – Слишком много здесь противоречий, предпосылок для конфликтов и драм.

– Ты права, – согласился Дронго. – Фон преступлений – внутренние проблемы в семье. Эльбрус Алхасов был слишком занят своей карьерой, своими успехами и своими женщинами. Он не сумел даже скрывать свои похождения от семьи. В результате жена его ненавидела, и дети не очень уважали. Затем он грубо вмешался в жизнь своей дочери, искалечив ее судьбу. Почти насильно выдал замуж. Сын отбился от рук, пытаясь быть похожим на своего кузена, который просто неуправляемый хам и эгоист. Плюс младший брат, который ненавидит старшего за его проступок в детстве. Думаю, нужно добавить и Роберта с Лианой. Салхаб рассказал мужу Лианы об особых отношениях его жены с Эльбрусом, что не прибавило симпатий Роберту. Лиана согласилась на время вывести племянника Алхасова, но твердо решила разорвать все отношения. Вот такая невеселая картина. В результате все не очень любят человека, которому, по большому счету, обязаны многим.

– Получается, что лучше всех к нему относимся только мы, – невесело улыбнулась Джил.

– Мы ему ничем не обязаны и можем относиться достаточно нейтрально. А вот все остальные... Он ведь старался дать своим детям все, заботился о своем младшем брате, пытаясь загладить свою детскую вину. Даже Лиане он попытался каким-то образом помочь. Сделал ее мужа вице-президентом банка, с которым сотрудничал. Но... люди часто не испытывают благодарность к тем, кто им помогает. Вместо благодарности часто получают ненависть. Наверное, быть благодарным — это удел очень благородных людей. Есть такое грубое выражение — «Научи кого-то летать, и он будет гадить тебе на голову». Мне оно всегда не нравилось своей категоричностью. Ведь если ты учишь летать, то, значит, сам умеешь летать. А если твои ученики испражняются тебе на голову — значит, ты учил их ползать. И сам ползаешь.

— Это спорный вопрос. Он обязан был уделять воспитанию детей больше времени, — не согласилась Джил.

— В этой стране мужчины не занимаются воспитанием детей. Эта обязанность лежит на плечах их матерей. Поэтому подобные сбои случаются.

— Это его оправдывает? Своими похождениями он довел почти до сумасшествия жену, испортил жизнь своим детям. Сын — невоспитанный и неуправляемый хам, а дочь просто превратилась в законченную стерву, помыкающую своим мужем и оскорбляющую отца.

— И среди всех этих людей есть некая загадка, — пробормотал Дронго, — и мне нужно понять мотивы двух преступлений. Своеобразный урок криминалистики.

— И ты полагаешь, что на этом все закончится?

— Не уверен. Мне почему-то кажется, что все только начинается. Словно предыдущие два убийства были некой прелюдией к главному преступлению, которое может здесь произойти. Во всяком случае, у меня такое ощущение.

— Может, тебе следует предупредить Алхасова о своих ощущениях?

— Что ему сказать? Он и так сходит с ума. Понимает, что потенциальный убийца может быть среди близких ему людей.

— Ты будешь спокойно сидеть и ждать следующего убийства?

— Не буду. При одном условии. Чтобы ты осталась здесь и не выходила ни под каким предлогом. Договорились?

— Ты думаешь, что я получаю большое удовольствие от созерцания этих людей? Я с радостью останусь здесь и не выйду, даже если буду умирать от голода.

— Но до этого, я думаю, не дойдет. У них хорошая кухарка.

Оба улыбнулись друг другу. Он вышел из комнаты, прошел в другое крыло здания, постучал в кабинет. Услышал, как Алхасов разрешил войти. В кабинете сидел следователь, который заполнял бумаги. Алхасов взглянул на гостя.

— Кто мог подумать, — пробормотал он, — все так непонятно.

— Мы закончили, — следователь был относительно молодым человеком лет тридцати пяти. Он поднялся, собрал бумаги и с любопытством взглянул на Дронго.

— Вы тот самый эксперт? — уточнил следователь.

— Наверное, тот самый.

— Говорят, что вы почти волшебник, — сказал следователь, не скрывая своего уважения. — Я могу узнать, что вы думаете по поводу этих двух убийств? Они как-то связаны друг с другом?

— Безусловно. Разве вы так не считаете?

— Но как тогда кто-то сумел выйти вчера вечером из дома и убить женщину? А потом так же незаметно вернуться.

— Вы в этом сомневаетесь?

— У меня такая профессия — сомневаться. Наш прокурор и начальник полиции сказали, что вы можете помочь в расследовании этого дела. Просто пока не хотел вас беспокоить.

— Надеюсь, что смогу вам помочь, — кивнул Дронго.

— Мы будем в соседнем доме. И я допрошу вас как свидетеля, — сказал следователь. — Сейчас наши сотрудники отвезут тело в морг, а ружье — на баллистическую экспертизу в столицу. Я попросил сделать экспертизу как можно быстрее. Первыми я решил пригласить наших гостей из Грузии.

— Самые удобные люди для допроса, — не скрывая иронии, заметил Дронго.

Следователь сделал вид, что не услышал, и вышел из комнаты. Дронго уселся в кресло.

— О чем говорили? — уточнил он у Алхасова.

— Рассказал, как мы с вами обнаружили пропажу ружья и нашли в моем телефоне исходящий вызов Рагибу. Я только не понимаю — почему использовали именно мой телефон?

— Это как раз понятно. Убийце, очевидно, было нужно, чтобы Рагиб подчинился беспрекословно. Чтобы немедленно пришел к пруду. А чье распоряжение, как не ваше, Рагиб выполнит не задумываясь?

— Но зачем? Зачем убивать моего помощника?

— Не знаю. Пока не знаю. Хочу уточнить у вас один момент. Я разговаривал с Рагибом, и он рассказал мне, что вы взяли его на работу вместо умершего помощника.

— Да, все правильно. Тот умер совсем молодым. Ему не было и пятидесяти.

— Кажется, онкология?

— Верно. А почему вы спрашиваете?

— И вы помогали ему с лечением?

— Было дело. Я оплачивал его лечение. Химиотерапию. Все анализы. И, конечно, операцию. Мы верили, что он выкарабкается. Но не получилось. Врачи говорили, что шансы были пятьдесят на пятьдесят. Не повезло.

— У него осталась семья...

— Да, — помрачнел Алхасов, — я знаю.

— И вы перестали им помогать?

— Кто это вам сказал? Рагиб? Вот неблагодарная сволочь. Я ему тоже столько помогал.

— Это правда или нет?

— Тогда послушайте, как на самом деле это было. Когда заболел мой бывший помощник, я сделал все, чтобы его спасти. Все оплачивал, нашел самых лучших врачей, положил в частную больницу. Все расходы взял на себя. Помоему, около восьмидесяти тысяч долларов. Или чуть больше. Но не сумел его спасти. Его жена получает хорошую пенсию по случаю потери мужа. Что еще я мог сделать? Взять их на свое содержание?

— Вы хотя бы раз им позвонили?

— Не нужно. Я не умею быть сентиментальным и считаю, что вместо слов соболезнования лучше помочь деньгами. Повторяю, я сделал достаточно для их семьи. И его жена меня очень благодарила. Я не понимаю — зачем вы спрашиваете?

— Чтобы уточнить важные моменты для себя.

— Уточнили?

— Да.

— Может, тогда скажете — к чему ваши вопросы?

— Пока я только собираю информацию.

Алхасов покачал головой. И неожиданно спросил:

— Кто это мог быть? Вы ведь уже наверняка знаете? Вы ведь умеете все точно просчитывать. Можете мне сказать?

— Я пока пытаюсь понять...

— Это был Керим? Он всегда недолюбливал Рагиба. Но зачем убивать Лиду? Я воспитывал неуправляемого сына. Вы действительно встретили его у калитки?

— Я видел, как он входил, закрывая ее.

— Может, действительно был он. Ему всегда не хватало денег. Как вы считаете? Или это был Роберт? У него, наверное, есть основания меня не любить. Лиана объявила мне, что больше сюда не приедет. Наверно, Роберт что-то понял или узнал. Хотя после того, как она вышла замуж, у нас с ней ничего не было. Но у него могли быть основания меня ненавидеть.

— Боюсь, что ему рассказали о ваших прежних отношениях.

— Думаете, это сделал Рагиб?

— Нет.

— Тогда почему его убили? Все-таки это сделал Роберт?

— Я же сказал, что пока ни в чем не уверен.

— Может, Лиана? Она сразу согласилась убрать Эркина. Правда, она его терпеть не могла. Он вообще вызывал неприятие у всех, кто с ним знакомился. Словно вобрал в себя самые худшие черты нашей семьи. На него жаловались все сотрудники моей компании. В том числе и Эльнур. Он ведь тоже вице-президент компании, как и Эркин. Просто я считал, что Эркин — моя родная кровь, сын моего брата, и я могу доверить ему компанию. Но со временем начал понимать, насколько пагубным оказалось держать племянника в компании. Если бы я демонстративно выгнал его накануне переговоров с итальянцами, то это вызвало бы скандал. Иностранцы не любят непредсказуемое поведение собственников компании. И я решился на такой необычный шаг, чтобы убрать его под благовидным предлогом хотя бы на несколько дней... Понимаете, Эркин относился к ней как к девице, как это сейчас говорят, как к девице с низкой социальной ответственностью. Для него не было разницы между Лианой и девушкой по вызову, которым он платил. И он не просто предложил ей вступить в отношения, а предложил деньги. Она его ненавидит. И она поняла мои мотивы, согласившись, что его нужно постепенно убирать из компании. Но предупредила меня, что на наших отношениях скоро будет поставлен крест. Может, это она решилась на убийство Лиды и Рагиба, потому что им стало что-то известно про наши связи.

— У вас появляются даже такие мысли.

— Она умеет стрелять. И у нее достаточно сильные руки. Лиана знала прекрасно, что в этом доме ее все не любят, что Лида вечно сует свой нос в ее личную жизнь, в ее тайны. И это закончилось убийством моей домработницы.

— А потом она застрелила Рагиба из вашего ружья?

— Она была последняя, кто вчера входил ко мне в кабинет. Помните?

— Да, помню. Но утром рядом с вашим кабинетом крутилась ваша дочь.

— Спасибо, что не вспомнили об этом при прокуроре и Фазиле.

— Просто не хотел подставлять ее. С ее взбалмошным и неуправляемым характером она наломала бы дров в качестве подозреваемой.

— Да, — усмехнулся Эльбрус, — это правда.

— Поэтому я и не стал об этом говорить вслух. Но согласитесь, что ваша дочь — тоже идеальный подозреваемый. Она не любит людей, не уважает своего отца, презирает своего мужа. Простите, что я так говорю, но это правда. Она ненавидит своего брата, дядю. Ненавидит Лиану и Роберта! Наверняка не считала за людей Лиду и Рагиба. Или я не прав?

— Она не могла убить человека, — упрямо произнес Алхасов.

— Чтобы задушить Лиду, нужны крепкие руки. А ваша дочь занималась теннисом. Стрелять она тоже умеет. Сегодня утром я видел ее у вашего кабинета. Сопоставьте все факты — и получите вывод.

— Она? Она? Вы считаете, что моя дочь способна на такое?

— Пока это только предположение.

— Вы меня пугаете, господин эксперт.

— Чтобы вас успокоить, могу сказать, что утром я также видел в коридоре вашего брата.

— Вы хотите перечислить всю мою семью?

— Нет. Просто сообщаю, как было на самом деле.

— Его нужно срочно везти в Европу, — нахмурился Эльбрус, — в последнее время он все время жалуется на головные боли, и почти ежедневно случаются приступы. Даже не знаю, что с ним происходит. Нужно еще раз показать его врачам.

Дронго взглянул на оружейный шкаф. На этот раз он был заперт на висячий замок.

— Мы с Фазилем решили, что будет правильно запереть его. И ключ я отдал ему. Так будет спокойнее, — пояснил Алхасов.

— Ему или вам?

— Обоим, — сдержанно ответил Эльбрус.

Дронго поднялся из кресла и вышел в коридор. Затем спустился вниз по лестнице. Шукуфа работала на кухне. Керим сидел за столом. Перед ним стояла бутылка вина, которую ему вчера подарил Дронго.

— Садитесь, — предложил Керим, — отмечаю свой юбилей. Хотите попробовать?

— По-моему, еще рано для вина.

— Ничего страшного. Все равно сегодня ничего не будет. Повар не приедет. А нашими гостями теперь надолго станут полицейские и следователи. Придется напиться. Потом отмечу свой день рождения в столице.

Он налил себе вина и, достав второй бокал, налил и гостю. Дронго попробовал вино. Оно было превосходным.

— После того как вы его открыли, нужно было немного подождать, чтобы вино подышало, — сказал Дронго.

Шукуфа принесла в гостиную сыр, зелень, помидоры, огурцы. Когда она вышла, в дверях появился Эльнур. Он был в спортивном синем костюме.

— Садись с нами, — предложил Керим, — все-таки ты мой родственник.

Эльнур сел. Попробовал вино и одобрительно кивнул. Вскоре появилась Эсмира.

— Пьете с утра? — насмешливо спросила она. — Нашли время. И ты тоже с ними, — укорила она мужа. — Нечем заняться?

Эльнур виновато кивнул, допил вино и поднялся.

— Лучше позвать грузин, — насмешливо произнес Керим, — они тоже наши родственники. Ну, во всяком случае, Лиана. Как ты считаешь? — спросил он у сестры.

— Идиот, — ответила она, не смущаясь присутствием Дронго. — Но сегодня как раз такой день, когда ты можешь шутить без последствий для себя.

— Их вызвали на допрос, — сказал Эльнур, — они сейчас беседуют со следователем.

— Им нужно многое рассказать, — нахмурившись произнесла Эсмира, — и они самые удобные персоны для подозрения. Ни следователь, ни начальник полиции и прокурор не посмеют даже подумать на кого-то из членов семьи Алхасова. А иностранцы — то, что нужно.

Тем более что у Роберта реально есть веские причины...

— Ты все еще не можешь успокоиться, — хмыкнул Керим, — ты всегда была самой злой и самой избалованной среди нас.

— Заткнись, — разозлилась Эсмира, — только послушайте, кто об этом говорит! Ты будто бы не избалованный! Бегаешь в село к вдове, которая на десять лет тебя старше. Совсем совесть потерял.

— Между прочим Президент Франции Макрон женился на своей учительнице, с дочерью которой учился, — напомнил Керим.

— Не хватает еще, чтобы ты женился на этой бабе, — разозлилась Эсмира, — и сделал ее невесткой нашей семьи.

— Это мое дело.

— Нет, не твое! Это дело всей нашей семьи.

— Ее наверняка задержат и будут допрашивать, — вставил Эльнур, — чтобы она подтвердила твое алиби.

— Пусть только попробуют, — разозлился Керим.

— Они попробуют, — усмехнулся Эльнур.

— Это их дело, — махнула рукой Эсмира, — кажется, наш гость решит, что мы все здесь чокнутые, — взглянула она на Дронго, — эти два убийства нас всех сделали такими, — пояснила она. — Эльнур! Я пошла наверх. Иди за мной!

Муж послушно пошел следом по лестнице.

Керим проводил их насмешливым взглядом и снова налил себе вина. Дронго отказался, показав жестом, что больше не будет пить. Затем он прошел на кухню, где выяснил, что обед будет через два часа. И отправился к пруду, чтобы еще раз обойти место преступления. Возможно, он пытался найти какие-нибудь следы или предметы, оставленные убийцей.

Полицейские натоптали вокруг пруда, и искать нужные следы было бесполезно. Он еще раз обошел водоем. Если убийца шел сюда с ружьем из дома, то дорога заняла бы у него полторы-две минуты. Возможно, был еще разговор на две или три минуты. А может, убийца начал стрелять сразу — когда человек идет на встречу с заряженным «винчестером», намерения его достаточно однозначны, и лишние разговоры просто не нужны. Кроме того, надо учитывать комплекцию погибшего. Убийца вряд ли рискнул бы выяснять отношения с таким сильным бугаем. Потому он открыл огонь сразу, как только приблизился к Рагибу. Ну, а уж если предположить, что убийцей была женщина, тогда точно никаких словесных перепалок с Рагибом быть не могло. Подошла — и сразу огонь на поражение.

Дронго усмехнулся. В число подозреваемых женщин входила и Джил. Если бы все это происходило в детективном романе, то для того, чтобы окончательно запутать читателя, непременно надо было бы сделать убийцей Джил. Вот ее уж точно никто не подозревал, включая самого Дронго. Но в жизни все было иначе. На роль преступницы подходили только Эсмира и Лиана.

Дронго обошел пруд и повернул к дому. Прогулялся еще вокруг дома, пытаясь и здесь обнаружить какие-нибудь следы. После чего зашел в дом.

Керима уже не было в гостиной. Бутылка дорогого вина по-прежнему стояла на столе, но уже была наполовину пустой. Дронго покачал головой. Есть такая азербайджанская пословица: «Как осел может разбираться в ценности шафрана». Пусти осла в цветник, и он съест кусты этого дорогого растения. С Керимом это был как раз тот самый случай, он даже не понял ценности подарка. Джил права, в этой семье все не слава богу. Нужно будет пойти вместе с ней на допрос, даже если следователь не разрешит. Хотя Роберта он пригласил вместе с Лианой. Возможно, Дронго и Джил тоже окажутся удобными для подозрений субъектами. А почему нет? Дронго был последним, кто ушел вчера от пьяного в хлам хозяина дома. Ведь ничто не мешало Дронго незаметно вытащить из шкафа «винчестер» и унести его с собой. Правда, наутро, когда раздался выстрел, Дронго был вместе с хозяином дома. Но это может подтвердить только Эльбрус. А что, если следователь поставит под сомнение заверения Эльбруса, сославшись на его тяжелейший похмельный синдром? Вот и всё. И железного алиби у Дронго уже нет.

Дронго услышал быстрые шаги на лестнице. Кто-то торопливо спускался. Он обернулся. Это был Эльнур.

– Вы не видели Керима? – чуть задыхаясь, спросил он.

– Он, кажется, вышел.

– Эсмира считает, что он может снова отправиться к этой вдове, – вздохнул Эльнур.

И в этот момент раздался громкий выстрел. Мужчины вскинули головы. Стреляли явно в кабинете.

«Опять не успели!» – подумал Дронго, первым бросился наверх, перепрыгивая через ступеньки. Эльнур побежал следом. Они ворвались в кабинет Алхасова. На полу лежал хозяин дома. Дронго склонился над ним. На груди, в районе сердца, чернело входное отверстие от пули. На лице Эльбруса застыло выражение удивления, будто он вовсе не ожидал подобного исхода. Дронго выпрямился.

– Он мертв.

Но Эльнур не смотрел на лежащего в крови тестя. Он медленно приближался к окну, глядя вниз, за стол.

— Здесь... здесь еще один убитый, — едва проговорил он.

— Не может быть! — крикнул Дронго. — Кто?! Но был же только один выстрел!

С этими словами он кинулся к столу и посмотрел на пол. Там лежал еще один человек. В руках у него был пистолет. Дронго дотронулся до подбородка мужчины, поворачивая его голову лицом к свету.

Тусклый свет упал на бледное лицо мужчины, и он вдруг едва слышно застонал.

Это был Салхаб, младший брат Эльбруса Алхасова.

Глава 14

Салхаб был жив, хотя он едва мог шевелиться. Лицо его было выпачкано в крови, хотя никаких видимых ран ни на лице, ни на теле не было. Дронго осмотрелся. Его внимание привлек пустой стакан, стоявший на столе. В нем еще были остатки воды. Он наклонился и понюхал. Кажется, обычная вода. Затем снова подошел к убитому Эльбрусу. Выстрел был произведен точно в сердце. У погибшего не было шансов.

Раздались шаги. В кабинет вбежал Роберт.

— Разве вы не должны быть у следователя? — спросил его Дронго.

— Что? — спросил Роберт, глядя на убитого. — Кто это сделал?! — Он перевел взгляд на лежавшего в стороне Салхаба. — Их застрелили обоих? — уточнил он.

— Салхаб жив, — пояснил Дронго. — Так почему вы не у следователя?

— Он допрашивает сейчас Лиану, — пояснил Роберт.

— И вы оставили ее одну?

— Он не разрешил мне присутствовать при ее допросе.

— Вы уже ответили на все вопросы следователя?

— Видимо, да. Если он закончил со мной.

— Вы слышали выстрел?

— Нет. Я шел к себе в комнату. И услышал крики... В этом доме, кажется, происходят очень странные вещи. Кто стрелял в обоих братьев?

— Никто не стрелял, — сказал Эльнур, показывая на Салхаба. — Наверное, дядя Салхаб случайно застрелил моего тестя во время очередного эпилептического приступа.

Роберт кивнул, но ничего больше не спросил. В кабинет вбежал Керим.

— Что здесь происходит?! Отец... — Он бросился к лежавшему на полу телу. — Кто?! Кто это сделал?!

— Успокойся, — Эльнур подошел к нему и тронул за плечо. — Видимо, ваш дядя во время приступа случайно нажал курок пистолета.

— Как это могло случиться?! — закричал Керим. — Кто дал ему оружие в руки?!

— Не знаю, — ответил Эльнур.

Дронго снова подошел к Салхабу. Тот уже открыл глаза и что-то невнятно бормотал. Было очевидно, что он пережил сильный приступ.

— Нужно было возиться столько лет с этим сумасшедшим, чтобы потом он застрелил отца, — прохрипел Керим.

— Ничего не трогайте, — попросил Дронго. — Нужно срочно позвать следователя. Чтобы он все увидел собственными глазами. Не прикасайтесь к пистолету!

— Я позову следователя, — предложил Роберт, быстро выходя из кабинета. И едва не столкнулся с Эсмирой в банном халате и с мокрыми волосами. Она вбежала в кабинет, остановилась посредине, посмотрела на мужчин, потом перевела взгляд на тело отца и едва подающего признаки жизни дядю. У нее задрожали губы.

— Что случилось? — тихо спросила она.

— Дядя Салхаб убил нашего отца, — пояснил Керим, — случайно. Во время приступа застрелил его.

— Как можно это сделать случайно?! — разозлилась Эсмира. — Случайно нашел пистолет отца, случайно снял с предохранителя, случайно передернул затвор и случайно выстрелил, а потом потерял сознание? Как это может быть? Как у него оказался пистолет отца?

«А она неплохо знает последовательность использования пистолета», — мимоходом отметил Дронго.

— Отец хранил пистолет в ящике своего стола, — напомнил Керим. — Мы не можем знать, кто его оттуда достал...

— Этого не может быть. — Эсмира наклонилась к отцу. Она была сильной женщиной, но, не удержавшись, заплакала. — Папа, папа, — повторяла она.

Эльнур попытался прижать супругу к себе.

— Отцепись от меня! — оттолкнула она его руку. — Не трогай меня! Я не верю! Не верю...

Дронго стоял около Салхаба, который постепенно приходил в себя. Еще через минуту в кабинет вбежал запыхавшийся следователь. Увидев убитого, замер на пороге кабинета. За ним осторожно вошли Роберт и Лиана.

— Как это произошло? — спросил следователь, обращаясь к Дронго и чуть заикаясь.

— Мы были внизу с зятем погибшего, когда услышали выстрел, — пояснил Дронго. — После чего быстро поднялись наверх.

— Никого не встретили на лестнице? — уточнил следователь.

— Нет. Если бы встретили, я бы сказал. В доме почти никого не было.

— Кто-то все же был, — возразил следователь.

— Возможно, — согласился Дронго. — Но мы добежали сюда за несколько секунд. За это время никто не смог бы выйти из кабинета незамеченным.

— Наши люди дежурят вместе с охранниками, — напомнил следователь, — у задней калитки тоже дежурит наш сотрудник. На территорию никто не мог проникнуть.

— Я хотел выйти, — недовольно сообщил Керим, — но меня не выпустили. И я вернулся домой.

Следователь наклонился к убитому. Взглянул на рану, потом на Дронго.

— Ничего не хотите мне сказать?

— Хочу. Произошло убийство. На первый взгляд — случайное убийство, когда во время приступа его младший брат случайно выстрелил.

— А еще версии у вас есть?

— Все три убийства так или иначе могут быть связаны, — сказал Дронго.

— Это я понимаю, — кивнул следователь. — Выстрел мог быть и не случайным.

Все посмотрели на следователя.

— Как вас зовут? — спросил Дронго.

— Насир.

— Вы понимаете, что именно вы сейчас сказали?

— Это моя профессия. Я обязан связать все три убийства, которые произошли за последние сутки, — пояснил следователь. — Вы же сами говорите, что убийство случайное лишь на первый взгляд... — Он хотел что-то добавить, но у него зазвонил телефон. Следователь извинился, достал аппарат, ответил на звонок. Это был начальник полиции.

— Что у вас опять случилось? — нервно спросил Фазиль. — Мне позвонил наш офицер и сказал, что вы сломя голову кинулись в дом. Я так и не понял, что произошло?

— Убийство, — тихо сообщил следователь, ясно представляя, какой будет реакция руководства.

— Какое убийство?! — закричал начальник полиции. — Совсем с ума посходили?

— Застрелили самого Эльбруса Алхасова, — доложил следователь. — В его кабинете. Выстрел в сердце.

— А ты куда смотрел?! — было ясно, насколько Фазиль взвинчен. — Как его могли застрелить, если повсюду были наши офицеры?

— Я допрашивал людей в соседнем домике, — доложил следователь, — и в этот момент мне сообщили, что в доме произошло убийство. Все может подтвердить господин эксперт, который первым обнаружил труп. Но на этот раз у нас есть подозреваемый. Мы нашли его на полу с пистолетом в руке.

— Какой еще подозреваемый?! — было слышно, как кричит начальник полиции. — Посторонний сумел влезть в дом?

— Нет, — ответил Насир. — Это его младший брат. Он лежит рядом с пистолетом в руке.

— Младший брат, — эхом отозвался Фазиль. — Значит, это он убил своего старшего брата.

— Да, видимо, он. Господин эксперт был в доме и слышал выстрел, — доложил следователь. — В кабинете больше никого не было. Видимо, у Салхаба начался эпилептический припадок, во время которого он каким-то образом завладел оружием и выстрелил в своего брата.

— Он в сознании?

— Пока нет.

— А остальные два убийства, — уточнил Фазиль. — Они тоже были случайными? Ты понимаешь, что теперь с нами будет? Как только в столице узнают, что убит такой человек, как Эльбрус Алхасов, так сразу все министерство на уши поставят! Да из нас всю душу вынут! Ты это понимаешь?! С нас обоих снимут погоны!

Следователь покосился на присутствующих и быстрым шагом вышел из кабинета, чтобы договорить в коридоре.

— Послушай меня, — сказал начальник полиции, — все очень серьезно. Нас могут выгнать из органов, снять погоны и даже привлечь к уголовной ответственности за халатность. Нужно будет четко и вразумительно объяснить, кто и зачем совершил эти преступления. Ты меня понимаешь?

– Да, конечно.

– Ничего ты не понимаешь. Теперь слушай внимательно. У Эльбруса Алхасова есть тяжело больной брат. Психически больной. Он задушил домработницу, потом убил из ружья наемного работника и, наконец, застрелил из пистолета самого хозяина. Вот так все и было. Ты меня понимаешь? Я так и доложу прокурору Мансурову. Где пистолет, из которого застрелили Эльбруса?

– Пистолет сейчас лежит на полу, но Дронго видел, что Салхаб держал его в руке.

– Замечательно! К пистолету не прикасаться, беречь отпечатки! А я доложу прокурору. И в Баку тоже. Этого больного нужно отправить на психиатрическую экспертизу в Баку. Он действительно тяжело болен, и об этом знают очень многие. Ты напишешь рапорт, что именно Салхаб совершил все три убийства.

– Хорошо, брата он застрелил во время приступа, не контролируя свои действия, – осторожно возразил следователь. – Но первые два убийства были тщательно продуманы и спланированы. Это не спонтанные поступки. Это хорошо просчитанный план. Психически больной человек неспособен на это.

– На что он неспособен?! – закричал начальник полиции. – Задушить и пристрелить неспособен?

– Он неспособен выбрать подходящее для убийства место, назначить свидание Лиде, неспособен спланировать время, чтобы вовремя прийти к дереву, совершить убийство и вернуться незамеченным. Больной человек не смог бы догадаться позвонить Рагибу с телефона своего брата, не смог бы твердым голосом договориться с ним о встрече у пруда, тайно похитить «винчестер», незаметно вынести его из дома и застрелить человека. Эти два убийства были детально продуманы и...

– Перестань! – гневно оборвал его Фазиль. – Ты что несешь?! Кому будет лучше от твоих сомнений?! Сейчас самое важное – быстро доложить о том, что найден человек, застреливший Эльбруса Алхасова. Эти преступления совершил его больной брат. Это несчастный случай. Так и доложим. Всё! На этом следствие закрыто!

– Но...

– Никаких но! Иначе нас просто выгонят. Сюда приедут журналисты со всех каналов, со всех сайтов. И ты станешь лепетать на камеру о том, что возможно, а что нет? Нас с позором выгонят из органов за профессиональную беспомощность. Пока ты писал свои протоколы и задавал глупые вопросы свидетелям, у тебя под самым носом убили человека, которого знает вся республика! Да тебя не только выгонят, тебя посадят в тюрьму за халатность, за невыполнение служебного долга, за оставление человека в опасности. Найдут целый букет преступлений. Ни один адвокат тебе не поможет!

— Нам нужно найти настоящего убийцу, — несмело возразил Насир.

— Опять за свое?! — окончательно разозлился начальник полиции. — Не хочешь ничего понимать? Тогда я официально отстраню тебя от расследования. И прокурор согласится. Тебе это нужно?

— Что я должен делать?

— Прямо сейчас садись и пиши рапорт. Во время эпилептического приступа Салхаб Алхасов застрелил своего старшего брата. Случайно. Пришли пистолет для баллистической экспертизы. Эльбруса застрелили из этого пистолета? Ты уверен?

— Да. Я видел рану. Это из пистолета.

— Прекрасно. Ты нашел орудие преступления и подозреваемого. Оформляй все документы быстрее. Я пришлю бригаду врачей. Пусть заберут этого психопата в нашу больницу. Я сам прослежу, чтобы за ним присмотрели. А ты пока все оформляй, возьми свидетельские показания у всех, кто там присутствует, в том числе у этого эксперта. Его показания будут особенно важными. Все понял или нужно повторить?

— Понял, — негромко произнес Насир.

— И не нужно самодеятельности. Тебе повезло. Ты за один день раскрыл три убийства и нашел убийцу Эльбруса Алхасова. Премия обеспечена. А может, и повышение. Я еду к прокурору. До свидания.

— До свидания, — следователь убрал телефон в карман и вернулся в кабинет.

Эсмира сидела на диване и цедила из стакана воду. Керим растерянно смотрел на тело отца. Роберт и Лиана стояли в стороне, что-то тихо обсуждая. Дронго сидел на корточках рядом с Салхабом, который постепенно приходил в сознание.

— Как вы себя чувствуете? — спросил Дронго.

— Плохо, — простонал Салхаб. — Очень болит голова.

К ним подошла Лиана и тоже опустилась на корточки.

— Вы принимали утром лекарство? — уточнила она.

— Да, принимал.

— Приступы не должны повторяться так часто, — сказала она, — может, вы забываете принимать лекарство?

— Нет. Я утром принимал, — твердо произнес Салхаб. Он закрыл глаза.

Лиана взяла подушку с дивана и положила под голову Салхаба.

— Не нужно о нем так заботиться, — нервно произнесла Эсмира, — он этого не заслуживает.

— Перестаньте, — нахмурилась Лиана. — В конце концов это ваш родной дядя.

— Который застрелил моего родного отца, — парировала Эсмира. — И не смейте меня затыкать. Я здесь хозяйка.

Лиана ничего не ответила. Дронго взглянул на диван. Вместо полагающихся двух подушек там сейчас не было ни одной. Одна лежала под головой Салхаба, а второй не было вообще. Он посмотрел по сторонам. Нигде не видно.

— Я должен буду снять ваши новые показания, — предложил Насир. — Поэтому попрошу вас перейти в гостиную, где мы снимем показания. Сейчас сюда приедут врачи и криминалисты.

— Он приходит в себя, — сказал Дронго, кивая на Салхаба.

— Пусть отлежится, — предложил следователь. Ему было стыдно, что он не сумел противостоять давлению начальника полиции.

— Нет, — возразил Дронго, — с ним нужно поговорить прямо сейчас. Иначе мы ничего не узнаем.

— Он в таком состоянии, что его лучше не беспокоить, — не очень убедительно произнес Насир.

— Нам нужно все узнать, — возразил Дронго.

Эсмира вспомнила про свои мокрые волосы. Она повернулась и пошла к дверям.

— Почему все так плохо? — пробормотала она, не обращаясь ни к кому. — Как будто все происходит во сне. Кто задушил Лиду? Кто застрелил Рагиба? Или это возмездие нашей семье за наше прошлое?

— Не нужно так говорить, — мрачно попросил Керим.

— Уже можно говорить все, — ответила Эсмира. — Эльнур, идем со мной, — позвала она мужа, и тот покорно пошел следом.

— Как собачка на привязи, — усмехнулся Керим.

Дронго снова взглянул на Салхаба.

— Вам лучше?

— Да.

— Вы помните, что здесь произошло?

— Не очень. У меня дико болела голова.

— Может, что-то вспомните?

— Кажется, меня кто-то позвал, — выдохнул Салхаб. — Я вошел сюда и увидел Эльбруса. Или нет. Он меня позвал, и, когда я вошел, он уже лежал на полу. Кажется, так.

— Вы с ним разговаривали?

— Не помню. Я в этот момент ничего не помню.

— Сосредоточьтесь, — посоветовал Дронго. — Значит, вас позвали. Вы вошли... Пожалуйста, вспомните каждую мелочь, каждое ваше движение.

— Кажется, брат стоял и что-то говорил. Или лежал. Я точно не помню. У меня уже начинался приступ.

— Вы брали его оружие?

— Какое оружие?

— Его пистолет. Вот этот самый, который лежит рядом с вами.

— Нет, не брал.

Следователь подошел, достал из кармана перчатки, надел их и поднял с пола пистолет. Осмотрел его. Извлек обойму.

— Одного патрона нет. Стреляли совсем недавно, — сообщил Насир.

— Кто стрелял? — дернулся Салхаб.

— Именно это мы и хотим выяснить, — пояснил Дронго. — Скажите, что вы еще помните? Пожалуйста, сосредоточьтесь!

— Ничего не помню.

— Кто-то еще был в комнате кроме вашего брата?

— Кажется, да... Один человек... Он стоял у окна... Или нет. Их было двое. Один лежал, а другой стоял у окна.

— Кто это был? Постарайтесь вспомнить!

Салхаб прижал ладони к лицу, тихо застонал.

— Н-нет. Нет, не помню...

— Вы знали, что брат хранит пистолет в ящике стола?

— Никогда не знал. Первый раз об этом слышу.

— Хорошо! — вмешался следователь. — А «винчестер» из оружейного шкафа вы брали?

— Нет. Никогда.

— Может, вы просто забыли? Вы же сами только что сказали, что у вас плохо с памятью. Ведь это вы выходили вчера ночью из поместья и встречались в лесу с Лидой? — настаивал следователь.

Салхаб упрямо покачал головой. Дронго нахмурился. Поднялся, подошел к следователю.

— Получили руководящие указания? — понял он. — Пытаетесь выбить признание у больного человека?

— Ничего я не получал. Это моя работа. Расследовать оба преступления. Вернее, уже три.

— Не нужно меня обманывать, — строго произнес Дронго, — ваше руководство хочет повесить на больного человека все три убийства. Но это очень глупо. Насчет инцидента с его старшим братом нужно еще тщательно разбираться...

— В чем разбираться? — нервно спросил следователь. — Вы сами были свидетелем. Сами рассказали, что услышали выстрел, прибежали сюда и нашли убитым Эльбруса и лежащего без сознания с оружием в руке его младшего брата. У которого систематические приступы эпилепсии! И который во время приступов ничего не помнит! Какие еще доказательства вам нужны? Я осмотрел пистолет. Не хватает одного патрона. Значит, был произведен только один выстрел. И этим выстрелом был убит хозяин дома. Вы же сами обо всем этом рассказали!

— Я рассказал только то, что видел и слышал. Но я не верю, что все три убийства совершил этот больной человек. И вы тоже не верите, так ведь?

— Почему не верю? Лида ему доверяла. И Рагиб доверял. Салхаб позвонил ему с телефона своего старшего брата, похитил «винчестер» и договорился о встрече.

— Не нужно, — поморщился Дронго. — Постарайтесь сохранить хотя бы остатки уважения к самому себе. Я ведь понимаю, что для вашего прокурора и начальника полиции очень выгодно свалить все три убийства на больного человека, который не отдавал себе отчета в своих действиях. Но это не так. И вы прекрасно знаете, что это не так. Мой отец говорил мне: самое главное — это уважать самого себя. Человек, который не уважает самого себя, не сможет уважать других. И его не будет никто уважать.

Следователь молчал.

— Нужно все тщательно проверить еще раз, — предложил Дронго.

— Вам легко говорить, — очень тихо сказал Насир. — Вы можете вести себя так, как вам нравится. Как вы привыкли. Как велят вам совесть и долг. А завтра с чистым сердцем уехать. А мне здесь жить и работать. Вы понимаете, как не понравится моему руководству ваша версия! Уже сегодня все будут знать об убийстве Эльбруса Алхасова. И о других двух убийствах. Завтра здесь будут журналисты. Сообщат руководству МВД и прокуратуры. Если мы не сможем назвать им имя убийцы, то накажут всех. В первую очередь меня. А потом и нашего начальника полиции. И прокурора. Но до этого они выгонят меня из органов. Это в лучшем случае. Мне совершенно ясно дали понять, что могут и посадить. Хорошо быть храбрым, когда можно себе это позволить. Я недавно женился, и у меня маленький ребенок. Скажите, что мне делать?

— Вы правы, — после недолгой паузы ответил Дронго. — Мы с вами в разном положении. И то, что мне легко сойдет с рук, для вас обернется поломанной карьерой и жизнью. Поэтому давайте поступим иначе. Вы формально поддерживаете версию, которую вам навязывают. Я же буду вести свое независимое расследование. И постараюсь в скором времени назвать имя настоящего убийцы.

— В скором времени? У вас максимум сутки.

— Еще не вечер, — загадочно произнес Дронго. — Нужно будет все тщательно продумать. И мне понадобится ваша помощь.

— Как я могу вам помочь?

— Вы были в этом кабинете до убийства и разговаривали с хозяином дома, — напомнил Дронго. — Вы обратили внимание, сколько на диване было подушек?

— Конечно, обратил! Сколько положено — столько и было. Две.

— А теперь?

Следователь осмотрел кабинет.

— Да, в самом деле, — произнес он растерянно. — Теперь только одна, на которой лежит Салхаб.

— Найдите вторую подушку, — предложил Дронго. — Вызовите дополнительно офицеров, если понадобится. Но постарайтесь найти эту вторую подушку.

— Она так важна?

— Более чем...

— Хорошо. Я дам указания. Хотя не совсем понимаю, но я прикажу найти ее.

Глава 15

Салхаб с трудом поднялся и увидел тело своего старшего брата. Он замер, не веря глазам, взглянул на Керима. Тот невесело кивнул, словно подтверждая, что отец погиб.

— Кто это сделал? — шепотом спросил Салхаб.

— Ты и сделал, — сказал Керим. — Неужели не помнишь?

Салхаб пошатнулся. Лиана поддержала его.

— Я не мог, — очень тихо произнес Салхаб, — я не мог этого сделать.

— Не мог, но сделал, — упрямо и жестоко произнес Керим. — У тебя был очередной приступ. Достал пистолет и выстрелил в моего отца.

— Нет, — выдавил Салхаб.

— Не нужно его добивать, — попросила Лиана.

— Конечно! Давайте его пожалеем! — зло предложил Керим. — За то, что он убил моего отца. Тот всю жизнь заботился о нем, возил его по врачам, показывал лучшим специалистам. И получил в благодарность пулю. Мы ведь знали, что наш дядя всегда ненавидел нашего отца. Да он этого особенно и не скрывал. Вот потому так и получилось. Просто, когда ты в здравом уме, ты себя сдерживаешь. А когда у тебя приступ, ты теряешь контроль, и все твои скрытые чувства проявляются во всей своей, так сказать, красе. Ты схватил пистолет и застрелил брата. Ты не мог ему простить эти проклятые каминные часы.

— Нет, — простонал Салхаб, — этого не может быть.

— Пока мы рассматриваем эту версию как одну из возможных, — немного смягчил категоричность следователь.

— Как будто есть другие версии, — усмехнулся Керим.

Салхаб качнулся от горя. Он все еще не мог прийти в себя.

— Пойдемте, — предложила Лиана. — Вы ни в чем не виноваты. Пойдемте в вашу комнату.

Она вывела Салхаба.

— Напрасно вы так, — сказал Дронго с укором. — Он все-таки ваш дядя.

— Он уже покойник, — упрямо произнес Керим. — Мы упрячем его в сумасшедший дом, откуда он никогда в жизни не выйдет. Сегодня мой дядя сдох вместе с моим убитым отцом. — Он посмотрел на тело отца. — Убили в день моего рождения. Вот такой подарок от дяди. Очень забавно.

Керим взглянул на следователя.

— Надеюсь, вы понимаете, что мы не позволим никуда везти тело? Что не будет никакой судебной экспертизы, никакого вскрытия в морге? — спросил он.

— Вскрытие будет проведено обязательно, — мрачно пояснил следователь. — Это требование закона. Сейчас приедет специальная бригада, и мы повезем тело вашего отца в город.

— Никуда не повезете, — твердо решил Керим. — Если нужно, я позвоню в Баку, и вам даст указания министр внутренних дел.

— Звоните. Это ваше право, — тактично заметил следователь. — Решение этого вопроса — в компетенции моего руководства. Я же ничего не могу вам пообещать.

— И не нужно, — Керим достал телефон, набирая чей-то номер.

Следователь взглянул на Дронго.

— Видите, — сказал он, — все не так просто.

— Алло, — громко начал Керим, чтобы его все слышали. — Добрый день. Это говорит Керим, сын Эльбруса Алхасова. Да, спасибо у меня все в порядке. Конечно. Обязательно. Нет. С отцом не все хорошо. Сегодня он умер. Да. Такая трагедия. Да, я понимаю. Упокой душу и ваших покойников. Нет. Не от болезни. Мой дядя Салхаб во время очередного приступа случайно выстрелил в отца. Да. Большая трагедия. Согласен. Я позвонил попросить вас о помощи. Нет, пока мы не организовали похороны. Понимаю. Спасибо большое. Я хотел попросить, чтобы тело моего отца не трогали. Не вскрывали. Конечно. Конечно. Да я все понимаю. Спасибо за ваши соболезнования. Спасибо большое.

Он убрал телефон. Взглянул на следователя.

— Это был первый заместитель премьер-министра, — сообщил он.

— Я догадался, — сдержанно ответил Насир.

— Он сейчас позвонит министру внутренних дел и даст указание, чтобы никто не трогал тело моего отца, — сообщил Керим.

Следователь промолчал. Он уже понимал, что начальник полиции был прав и сведения о таком преступлении могут дойти даже до главы государства. Роберт, сидевший в углу, мрачно смотрел на тело и на остальных мужчин, не проронив ни слова. Дверь в кабинет была полуоткрыта. Раздался осторожный стук.

— Войдите, — крикнул Насир.

Осторожно вошла Шукуфа. Очевидно, она поняла, что происходит нечто невероятное. Увидев тело погибшего хозяина, она замерла на месте. Затем тихо заголосила, закрыла лицо ладонями.

— Да, — невесело кивнул Керим, — это мой отец. Произошел несчастный случай.

Внезапно раздался телефонный звонок.

— Слушаю вас, господин генерал, — ответил на вызов Насир, тотчас выпрямившись и напрягшись. — Да, я веду это уголовное дело. Нет. Я уже на месте. Нахожусь рядом с телом убитого. Предварительные результаты подтверждают версию о том, что младший брат Эльбруса случайно выстрелил в своего брата. Он действительно тяжело болен. У него бывают приступы эпилепсии. Да, я понимаю. Конечно, проверим. Мы все тщательно проверяем. Конечно. Да, докладываю своему начальству. Так точно. Так точно. Хорошо, господин генерал. Я все понял.

Он закончил разговор и тяжело вздохнул.

— Звонил наш министр. Приказал не отправлять тело на экспертизу.

— Я же вам говорил, — вставил Керим.

Опять раздался звонок. Следователь так же быстро ответил:

— Слушаю вас, господин прокурор. Да, случайное убийство. Мы уже разобрались. Нет.

Нет. Звонил министр и приказал не отправлять тело убитого на судмедэкспертизу. Да, я понимаю, что похороны будут в Баку. Конечно, выполним все ваши указания. Да. Его младший брат. Случайный выстрел. Он тяжело болен. Сейчас приедут врачи.

Он выразительно посмотрел на Дронго, словно хотел сказать: «Ну вот! Я же говорил, что бесполезно сопротивляться!»

— Не знаю, господин прокурор. В убийстве Эльбруса Алхасова абсолютная ясность. В первых двух случаях... Да. Да, я понимаю. Да, он мог совершить эти преступления. Да, мне уже приказали. Я все понимаю. Мы закончим в срок. Безусловно. До свидания.

Следователь убрал телефон и снова тяжело вздохнул.

— Прокурор требует завершить расследование до завтра. Говорит, у вас есть конкретный подозреваемый, который тяжело болен и который совершил все три убийства. Ничего не хочет слушать. Вы по-прежнему считаете, что я могу как-то сопротивляться этому давлению?

Снова раздался телефонный звонок. Насир в очередной раз достал аппарат. На этот раз снова звонил начальник полиции.

— Откуда министр узнал про убийство? — закричал Фазиль. — Как это могло случиться? Почему не через меня?

— Сын Алхасова позвонил первому вице-премьеру, — пояснил следователь, — попросил не вскрывать тело отца и вообще не проводить экспертизу. Тот позвонил нашему министру...

— Мог бы сразу сообщить мне, — прохрипел Фазиль, — теперь о случившемся знают в Баку. Прокурор Мансуров орет так, что его слышно в столице. Требует тебя поменять. Он говорит, что это первый случай в истории, когда хозяина дома демонстративно убивают в присутствии следователя и офицеров полиции.

— Это был несчастный случай.

— Я так и доложил. И в министерство. И ты тоже так напиши. Дурака не валяй. Теперь речь идет уже не о тебе и твоей карьере. Нас всех могут наказать? Понимаешь? И меня, и нашего прокурора. Слишком громкое дело получилось. Постарайся все сделать как нужно. В противном случае я тебе не завидую.

— Все понял, — мрачно ответил следователь.

— Бригада врачей и криминалистов уже выехала. Не трогайте тело. Завтра повезут в Баку. Будет специальное распоряжение о похоронах на кладбище почетного захоронения.

По мусульманским канонам хоронить нужно было до захода солнца. Учитывая, что сегодня тело погибшего не сумеют вывезти в столицу, то завтра был крайний срок. Впрочем, подобный ритуал существовал еще у иудеев, которые тоже хоронили до захода солнца. Очевидно, это было связано с жарким климатом, при котором тело покойного разлагалось значительно быстрее, чем в более холодных районах.

Следователь понимал, что сейчас последуют вопиющие нарушения Уголовно-процессуального кодекса и порядков судебной экспертизы, но не посмел возразить. Но что он мог сделать в такой ситуации? Попытайся он возразить, сын погибшего снова позвонит первому вице-премьеру. И второго звонка от министра уже не будет. Позвонит начальник полиции, который коротко и жестко сообщит об увольнении следователя.

— Принесите простыню, — попросил он у Шукуфы. — Мы хотя бы накроем тело.

Кухарка вышла из кабинета и быстро вернулась с простыней. Следователь аккуратно накрыл тело. За окнами послышался шум подъезжающих машин. Через минуту в кабинет ворвались пять или шесть мужчин. С ними была одна женщина в белом халате.

— Где погибший? — спросил один из мужчин. — Мы из службы безопасности!

Следователь показал на лежащее тело. Мужчины подошли к убитому, сняли простыню и осмотрели тело.

— Где больной? — спросила женщина в белом халате. У нее было строгое выражение лица. Темные волосы были связаны в пучок на затылке. Образ дополняли очки, за стеклами которых сложно было определить цвет ее глаз.

— В соседней комнате, — ответил Насир.

— Покажите! — потребовала она.

— Я покажу, — предложил Дронго. Следователь согласно кивнул. Он не имел права отходить от тела погибшего, пока здесь были сотрудники спецслужб.

Следом за женщиной вышли еще двое крепких мужчин. Они приблизились к комнате Салхаба, и Дронго постучал в дверь.

— Войдите, — услышал он голос Лианы.

Они вошли. Салхаб лежал на кровати с закрытыми глазами. Лиана сидела рядом с ним, перебирая его лекарства. Увидев вошедших, она поднялась со стула.

— Мы заберем психически больного, — распорядилась женщина в белом халате.

— Он не психически больной, — возразила Лиана. — Он страдает эпилепсией. Сейчас он отдыхает после приступа.

— Будет отдыхать у нас, — твердо решила врач, оглядываясь на мужчин, которые уже напряглись в предвкушении привычной грубой работы. — Принесите носилки!

Мужчины вышли. Они были похожи скорее на охранников, чем на санитаров районной больницы.

— Повторяю, — чуть повысила голос Лиана, — он не психически больной. Он страдает эпилепсией. А это хроническое неврологическое заболевание.

— Вы врач? — осведомилась гостья.

— Нет. Я психолог. А вы?

— Тогда не вмешивайтесь! — не ответив на вопрос, крикнула женщина. — Мы возьмем его в районный центр и проведем нужные исследования.

Салхаб открыл глаза.

— Что вам нужно? — с испугом спросил он, поднимая голову. — Кто вы такие?

— Мы из местной больницы, — сообщила женщина, — вы поедете с нами. Мы хотим вам помочь.

— Не нужно мне помогать, — вздохнул Салхаб, — я уже в порядке.

— Вы не в порядке, — твердо сказала «врач». — Вы совсем не в порядке. Сегодня во время приступа вы случайно выстрелили в своего старшего брата. Вчера задушили домработницу. Сегодня утром застрелили помощника вашего брата. Вы опасны как для окружающих, так и для самого себя.

— Вы с ума сошли, — Салхаб привстал и сел на кровать, — я никого не душил и не стрелял. И не помню, чтобы я стрелял в брата. Это какое-то дикое недоразумение.

— Вы поедете с нами, — с нотками угрозы повторила «врач». — Не будем спорить. У нас есть полномочия забрать вас силой, если понадобится.

— Это нарушение его прав, — вмешалась Лиана, — он свободный человек в демократическом государстве. Его приступы не означают, что он недееспособен. Вы понимаете, что он может подать на вас в суд за незаконное задержание.

— Пусть подает, — согласилась «врач», — но мы должны выполнить приказ и отвезти его в больницу.

— Он самостоятельно приедет к вам в больницу, и вы сможете его осмотреть, — предложила Лиана.

— Нет! Мы заберем его сейчас. Не нужно со мной спорить! Если вы продолжите этот бесполезный спор, то мы предъявим вам ордер на арест до решения суда. Все в рамках закона.

В комнату уже зашли мужчины с носилками.

— Я никуда не поеду! — крикнул Салхаб. — Вы не имеете права!

— Тогда мы вынуждены объявить о том, что вы задержаны! — сообщила гостья и кивнула своим подручным: — Приступайте!

— Это произвол, — сказала Лиана и взглянула на Дронго: — Господин эксперт, почему вы молчите?

— Такие вопросы решаются совсем на другом уровне, — печально сообщил Дронго, — к моему большому сожалению. В данном случае мне нечем крыть. В доме произошло убийство, и пистолет был найден в руках Салхаба Алхасова.

— Я ничего не помню, — крикнул он.

— Тем хуже для вас, — мрачно ответил Дронго.

— Хорошо, — поднялся с кровати Салхаб. — Я пойду сам. Уберите носилки. Я не настолько болен, чтобы нести меня на носилках. И учтите, что я не разрешу делать мне уколы или давать мне какие-нибудь лекарства. И еще. Я позвоню нашему семейному адвокату. Он заместитель председателя президиума коллегии адвокатов республики.

Врач сжала губы. Блеснули очки. Но она не посмела возразить. Салхаб набрал номер.

— Добрый день, Маис, — начал он, — у нас произошло несчастье. Случайно погиб Эльбрус. Спасибо за соболезнования. И твоим тоже соболезную. Дело в том, что меня пытаются обвинить. Говорят, что во время приступа я случайно выстрелил в Эльбруса. Нет. Я не помню. Ничего не помню. Да. Оружие нашли. И теперь приехала целая бригада, которая хочет забрать меня в больницу. Насильно. Без моего согласия. Да, понимаю. Нет, не знаю. Не знаю.

— Откуда вы приехали? — спросил Салхаб, обращаясь к гостье.

— Это не важно, — отрезала она.

— Отказывается отвечать, — сообщил Салхаб. — Да, сейчас передам, — он протянул телефон. — Поговорите с моим адвокатом, пожалуйста!

— Я не буду ни с кем разговаривать, — заявила гостья, — давайте закончим этот бесполезный разговор.

— Вы слышали ее ответ? — сказал в трубку Салхаб. — Ее фамилия мне тоже неизвестна... Хорошо, сейчас сделаю громкую связь.

Он включил громкую связь.

— Уважаемые господа, — раздался из трубки глухой голос адвоката, — хочу вас заверить, что у вас будут большие неприятности. Забирать здорового человека без его согласия в больницу абсолютно незаконно. Но хочу вас особо предупредить, что завтра утром собираюсь приехать в ваш район. И если с моим клиентом что-то случится, то вы будете персонально отвечать.

Салхаб выключил телефон и даже улыбнулся. Он почувствовал себя защищенным.

Возникла пауза. «Санитары» топтались на месте, не зная, что делать.

— У вас замечательная модель смартфона, — вдруг произнес Дронго, кивая на телефон, который Салхаб сжимал в руке. — Если не ошибаюсь, он оснащен отличной мегапиксельной камерой. Видеоролики, записанные на эту камеру, отличаются изумительным качеством и могут сохраняться на личном облачном сервере.

Салхаб все понял. В отличие от медицинской бригады. Он неожиданно развернул телефон и начал видеосъемку всех троих гостей, стоявших у дверей. В первые секунды они даже не поняли, что происходит, и лишь потом отреагировали.

— Немедленно выключите телефон! — нервно крикнула женщина.

— Поздно, — услышали они голос Дронго, когда Салхаб прекратил съемку и торопливо сунул телефон в карман. — Эта видеозапись уже в «облаке». Вам ее оттуда никак не достать. И теперь будьте очень осторожны.

Женщина лишь покачала головой. Ее тон заметно изменился.

— Поехали с нами, — уже мягко произнесла она. — Можете сами спуститься в машину. Я не настаиваю на носилках.

— Хорошо, — Салхаб повернулся в сторону Лианы. — Давно хотел вам сказать. Вы мне всегда очень нравились. Мне было иногда обидно, что мой старший брат нравится вам больше. Но я понимал, что у меня мало шансов. Я вел себя не очень достойно по отношению к вам и позволил себе рассказать Роберту какие-то глупости. Простите меня.

Лиана молчала. Салхаб повернулся и вышел из комнаты. Медицинская бригада последовала за ним.

— Вот так, — прокомментировала Лиана. — Эта видеосъемка спасла его рассудок. Если бы он не отправил этот ролик адвокату, то уже через час лежал бы «овощем» в психушке без памяти, без сознания и воли.

— Это не очень надежная страховка, — мрачно сообщил Дронго, — но хорошо, что есть хотя бы такая.

Глава 16

Дронго вышел из комнаты. Из кабинета доносились голоса мужчин. Очевидно, там работали судмедэксперты и криминалисты. Дронго прошел по коридору и постучал в дверь. Прислушался. Тихо. Неужели Джил вышла из комнаты? Он снова постучал. И, наконец, услышал, как она подходит к дверям.

— Я узнаю тебя по стуку — сказала Джил, открывая дверь.

Дронго вошел.

— Ты не проголодалась?

— Пока нет. Вижу по твоему лицу, что опять что-то случилось.

Он не хотел лгать. Или притворяться. Опасность для любого, кто находился в доме, была слишком очевидной.

— Застрелили Эльбруса Алхасова, хозяина дома, — сообщил он.

Она замерла. Взглянула на него.

— Ты недавно вспоминал «Десять негритят» Агаты Кристи. У нас происходят похожие события. Будем ждать, пока всех, кто находится в этом доме, не убьют?

— Я тебе говорил, что роман уже переименовали. Теперь он называется «Их осталось десять». Также переименовали «Негритянский» остров в «Солдатский». И в считалке заменили «негритят» «солдатами».

— Дурацкая толерантность, — фыркнула Джил. — Но суть ситуации от этого не меняется. Будем ждать, пока тут не перебьют всех «солдат»?

— Тебе не разрешат покинуть поместье и улететь в Италию, — с грустью ответил Дронго. — Идет следствие...

— Кто его застрелил? Опять ничего не известно?

— На этот раз факты говорят о том, что якобы стрелял его младший брат. У него начался приступ эпилепсии, и он вроде как достал из ящика стола пистолет и выстрелил в брата. А потом потерял сознание. Я услышал выстрел и побежал наверх. Старший брат погиб на месте, младший лежал с оружием в руке и без сознания. После приступа он начал приходить в себя.

– Как странно. Кто тогда совершил предыдущие два убийства?

– Понятия не имею. Но начинаю понимать, что эта комбинация была подготовлена заранее.

– Что нам делать?

– Подождать. Завтра тело погибшего повезут в столицу. Наверняка под усиленной охраной полиции и других спецслужб. Мы поедем вместе с ними.

– Давно пора. Я чувствовала, что здесь может произойти нечто подобное.

– «Никто не богат настолько, чтобы искупить свое прошлое». Это сказал парадоксальный Оскар Уайльд, – вспомнил Дронго.

– Что теперь будет?

– Там работает бригада специалистов, – пояснил он, – а вот Салхаба уже увезли. Там была женщина в белом халате, но если она врач, то я балерина. Скорее, она сотрудница спецслужб. Салхаба забрали, чтобы при случае превратить его в «овощ» и приписать ему все три происшедших в доме убийства.

– А он их не совершал?

– Полагаю, что нет. Должен быть конкретный мотив, а я его не вижу. Кстати, Салхаб извинился перед Лианой за то, что вел себя не совсем достойно и выдал Роберту личную тайну его жены.

— Неприятный тип, — прокомментировала Джил.

— Не самый лучший, — согласился Дронго, — но его увезли.

— А если действительно его превратят в больного идиота? Что тогда? Они смогут списать на него все преступления?

— Бесконтрольно пичкать его нейролептиками они побоятся. Салхаб успел снять их на смартфон и выгрузить ролик на «облако», к которому наверняка есть доступ у его адвоката. Пока спецслужбы не взломают «облако» и не удалят компромат, Салхабу ничего не грозит.

— А убитого отправили на судмедэкспертизу?

— Нет. Его сын договорился, что тело вскрывать не будут, хотя понятно, что патологоанатомы узнали бы очень много любопытного. Но, по местным традициям, людям такого статуса делать вскрытие не полагается.

— Нелепая традиция, — пожала плечами Джил. — А если необходимо выяснить детали преступления?

— Здесь свои правила, — повторил Дронго.

— Будем ждать, когда убийца придет за нами, — махнула рукой Джил.

— Тебе страшно?

— С тобой? Конечно, нет. Но неприятно. Что я стала участницей таких трагедий.

Дронго направился к двери.

— Как всегда, запри за мной и не открывай, даже если тебе сообщат, что я лежу под дверями тяжелораненым. Ты поняла?

— Не волнуйся. За столько лет я уже поняла, что всегда нужно быть готовым к любым неожиданностям.

— Спасибо. — Дронго вышел и, пройдя по коридору, остановился у комнаты, где жили Эсмира с супругом. Постучал.

— Войдите! — крикнула Эсмира.

Он вошел в комнату. Она успела высушить волосы феном. Но по-прежнему была в белом халате. Кивнула на пуфик, позволяя гостю сесть.

— Где ваш супруг? — уточнил Дронго.

— Отправился к следователю. Тот его вызвал. Вы сказали, что вместе с Эльнуром услышали выстрел. Верно?

— Да. Мы оба были на лестнице. Услышали выстрел и поспешили наверх. Там обнаружили тело вашего отца и вашего дядю, который только-только начал приходить в себя.

— Вы думаете, что это он стрелял в отца?

— Косвенные факты указывают на него. Но я не хочу торопиться с окончательным выводом...

— Мой дядя все еще лежит в своей комнате?

— Его забрали и увезли. Говорят, что в больницу.

— А на самом деле?

Она была достаточно проницательным человеком.

— Не знаю. Вполне возможно, что в другое место.

— И вы так спокойно об этом говорите?

— А как прикажете себя вести? Махать после драки кулаками?

— Почему вы позволили это сделать?

— А на каких основаниях я мог запретить им?

Она промолчала.

— Бедный папа. Он столько заботился о своем младшем брате, — пробормотала Эсмира, — и получил пулю в живот.

— В грудь, — машинально уточнил Дронго.

Она отвернулась. И неожиданно спросила:

— Вы никогда не изменяли своей супруге?

— Это вопрос или утверждение?

— Скорее вопрос. Отец считал, что нормальный мужчина не может удовлетвориться общением только с одной женщиной.

— А вы можете удовлетвориться общением только с одним мужчиной?

— В современном обществе все стремятся к равенству полов, — уклончиво ответила Эсмира.

— Такого равенства у нас никогда не было и вряд ли когда будет. Женщина, которая смеет встречаться с другим мужчиной втайне от мужа, воспринимается почти как падшая женщина. А мужчина, у которого много женщин, вызывает уважение и зависть. Или вы не согласны?

— Согласна. Потому все разговоры о равенстве мужчин и женщин — только фикция. Здесь у меня и у вас — абсолютно разные права. И женщина не может позволить себе то, что позволяет мужчина.

— Тогда у меня будет похожий вопрос. Вы всегда были самостоятельны в отношениях с мужчинами?

Дронго подумал, что раньше никогда не задавал таких откровенных вопросов женщинам. Да, и он меняется, постепенно превращаясь в мизантропа.

— Я замужем, — она не оскорбилась. Просто сообщила.

— Я знаю. Но вы не ответили на мой вопрос.

— Как и вы на мой.

— Я знаю, что у вас был любимый человек, но ваш отец не разрешил вам жениться.

— Все-таки подслушали.

— Нет. Ваш отец сам мне все рассказал.

— Напрасно он это сделал. Но это правда. Итого в моей жизни было только двое мужчин.

Тот самый человек, за которого мне не разрешили выйти замуж, и мой нынешний муж. Или вы считаете, что их было больше?

— Уверен, что было больше, — сказал Дронго, глядя ей в глаза.

— Можно узнать, на чем зиждется ваша уверенность? — спросила Эсмира, выдержав его взгляд.

— Отец не разрешил вам выйти замуж за любимого человека и заставил сделать аборт. Назло ему вы наверняка несколько раз встречались с другими мужчинами, пока отец не решил, что пора выдать вас замуж. И выдал за Эльнура.

— Поразительные аналитические способности! Наверное, так и было. Я не помню, — Эсмира отвернулась. Было заметно, как ей неприятны разговоры на подобные темы. Она была носителем местных взглядов и не могла избавиться от них, даже несмотря на кажущуюся эмансипацию.

— Но замужество вас не остановило, и вы стали изменять мужу, — спокойно продолжал Дронго. — Вы дочь своего отца и сестра своего брата. А они (простите, что так говорю) никогда не отличались особой разборчивостью в своих отношениях с противоположным полом.

— Вам говорили, что нельзя хамить женщинам? — вспыхнула Эсмира.

— Мне говорили, что все любят правду. В том числе и женщины.

— И еще вы ловко ушли от ответа, переключив разговор на меня. Так вы изменяли или нет своей супруге?

— Что я должен ответить?

— Если вы такой правдолюб, то должны ответить правду. Хотя не нужно. Я могу ответить за вас. Вы наверняка изменяли своей супруге. Даже если вы поклянетесь, что никогда этого не делали.

— Вам говорили, что вы циник?

— Говорили. Все умные люди немного циники. Вы так не считаете?

— Возможно. Вы спросили у меня об изменах потому, что хотите найти оправдания поведению своего отца?

— Я хочу, чтобы вы ответили предельно честно. Неприемлемость моногамии для мужчин — обоснована?

— Я плохой эксперт в этом вопросе, — пробормотал он.

— Не хотите отвечать.

— Не хочу. Но если вы настаиваете, я могу ответить. Природная задача самца оплодотворить как можно больше самок. В нем заложен материал на миллионы возможных отпрысков, и его задача — распределить этот материал по разным яйцеклеткам. А природная сущность самки — выбрать сильного самца, который может дать здоровое потомство. А в случае с людьми, еще и материально обеспечить это потомство. При этом женская особь не может вырастить больше определенного количества детей. Человек тридцать или сорок. Отсюда вывод. Мужчины и женщины биологически не равны, как бы поборники новых либеральных идей ни пытались убрать эти гендерные различия. Поэтому измена мужчин и измена женщин — это совсем разные понятия. Хотя, возможно, я не прав.

— Вы сильно не правы, — сказала Эсмира, — но я все равно немного завидую вашей супруге. Вы очень неплохой образец самца. Во всяком случае, вам достаточно появиться в комнате, чтобы любая женщина обратила на вас внимание. Это и называется особым мужским шармом.

— Слишком много комплиментов, — пробормотал Дронго.

— Наверное, — согласилась Эсмира. — Вчера смотрела концерт Фрэнка Синатры. Достаточно взглянуть на него, чтобы все понять. Он обладал особым мужским шармом. Это было так замечательно.

— Может, у вашего отца тоже был такой мужской шарм и поэтому ему было так легко сходиться с женщинами.

— У него были деньги и власть. А женщины всегда падки на эти составляющие, — возразила Эсмира, — но самое главное, что он был женат и не имел права на такое открытое похабное поведение.

— Вы хотите задним числом его обвинить или оправдать?

— Я хочу его понять, — вздохнула Эсмира. — Но сейчас нужно многое продумать. Нанять опытного похоронного агента. Найти достойное кладбище. Организовать поминки. А кто возглавит компанию? И что будет со всеми нами?

— Ваш брат уже позвонил первому вице-премьеру и обо всем договорился. Завтра перевезут тело в Баку. Похоронят на почетном кладбище. Вскрывать тело запретили...

— Какой он шустрый, — даже удивилась Эсмира. — Мы всегда считали его неприспособленным «мажором». А он, оказывается, уже все организовал. Торопится захватить власть. Чтобы встать во главе компании. Но у него ничего не выйдет. По завещанию отца, которое я видела, контрольный пакет акций отходит нам с Эльнуром. И мой драгоценный братец пока об этом не знает, как, собственно, и о существовании завещания.

— А ваш муж знает?

— Нет. Только я. Отец считал, что контрольным пакетом он сможет загладить свою вину передо мной... Скажите, — неожиданно сменила она тему. — Вы верите, что мой дядя совершил все три убийства?

— С чего вы взяли, что верю?

— Эльнур сказал, что все убийства хотят повесить на моего дядю.

— Ваш муж прав. Для сотрудников прокуратуры и полиции это было бы идеальным вариантом.

— А вы считаете, что убийца кто-то другой?

— Пытаюсь разобраться.

— Тогда кто? Мой брат и муж отпадают. Керим не самый лучший брат и не очень воспитанный человек. Но отца он любил. И неплохо «доил». Теперь у него появятся финансовые проблемы. Мой муж не посмел бы даже подумать о таких преступлениях. Моего дядю забрали, но вы справедливо считаете, что он не мог совершить первые два убийства. Остается только сладкая грузинская парочка. Учитывая, что Лиана была очень близка к моему отцу, а ее муж — финансовый поверенный моего отца в Грузии, то у этих двоих мог созреть план какой-нибудь финансовой аферы с капиталом отца. А если Лида и Рагиб узнали об этом плане, то подписали себе смертный приговор.

— Я об этом тоже думал, — признался Дронго. — Ведь иначе сложно объяснить, почему убили этих двоих. Я почти уверен, что они узнали какую-то тайну, стоившую им жизни.

— Значит, убийцы — Лиана и Роберт, — удовлетворенно произнесла Эсмира. — Теперь вам нужно доказать их вину. С вашими способностями сделать это будет несложно.

— У вас одинаковое мышление с братом, — пробормотал Дронго.

Она нахмурилась.

— Вы напрасно думаете, что это комплимент, — нервно произнесла Эсмира. — Подумайте над моими словами. Заверяю вас — это все проделки наших грузинских гостей. Других подозреваемых просто не может быть.

— Подумаю, — согласился Дронго. — Только у меня к вам одна большая просьба. Запирайте дверь, когда остаетесь одна. Так будет лучше.

Глава 17

Он вышел в коридор. Понятно, что память Салхаба здорово подвела. Но он помнит, что его кто-то позвал. И еще: он сказал, что в комнате было два человека... Может, его позвали, чтобы подставить? Допустим невероятное: Салхаб не стрелял. Тогда стрелял кто-то другой. Кто мог еще быть на этаже? Конечно, Эсмира. Она появилась в кабинете с мокрыми волосами и в банном халате. Это вполне убедительное прикрытие — вот, дескать, я только что из ванны. Выстрелила в отца, вложила пистолет в руку своему дяде и побежала под душ. Удобно? Вот только Эсмира не успела бы добежать до своей комнаты и обязательно столкнулась бы с Дронго у лестницы.

Он даже остановился от волнения. А если она и не бежала в свою комнату? Если выстрелила и спряталась в соседней комнате дяди? Это ведь совсем рядом. В таком случае, она вполне могла успеть до появления Дронго. Выстрелила, вбежала в комнату дяди и встала под душ. А когда они собрались в кабинете, вернулась туда. Версия, имеющая право на существование.

Еще один подозреваемый – ее брат Керим. Но его не было в доме. Он был у калитки, намереваясь отправиться в село к своей знакомой женщине. Это он так говорит. А если это было сделано для создания алиби? И точно так же мог спрятаться в одной из пустующих комнат. И выстрелить в отца.

Остается Роберт, который почему-то оставил Лиану со следователем и вернулся в дом. Нормальный мужчина должен был дождаться своей супруги. Он этого не сделал. Почему? Что за срочные дела? Непонятно. Еще в доме была Шукуфа, но она работала на кухне и не успела бы выстрелить и добежать до кухни незамеченной.

Дронго дошел до кабинета. Оттуда раздавались голоса сотрудников полиции и экспертов. Дронго открыл дверь, вошел.

— Мы уже все осмотрели, — сообщил следователь, — второй подушки нигде нет.

— Значит, ее выбросили в окно или спрятали в соседних комнатах, — предположил Дронго, — например, в спальне хозяина дома. Пусть поищут. Ее обязательно найдут.

Следователь кивнул двоим офицерам, и те поспешили выйти. Эксперт осматривал тело погибшего, уже зная, что ему не разрешат препарировать труп. Керим беспрерывно курил, наблюдая за действиями эксперта, словно контролируя. Наконец эксперт поднялся, снова накрывая тело простыней.

— Стреляли почти в упор, — сообщил он, — хотя порохового ожога я не нашел. Но на ране есть синие ворсинки, словно к дулу пистолета прикладывали подушку. И такие же ворсинки есть на дуле пистолета. Я успел осмотреть оружие, перед тем как его запечатали в пакет.

— Что это значит? — спросил следователь.

— Может, пытались остановить кровь этой подушкой, — предположил эксперт, — нужно будет провести более точную экспертизу.

— Нам не разрешат отправить тело на вскрытие, — напомнил Насир.

— В таком случае заберем одежду, — предложил эксперт. Ему было далеко за пятьдесят. Но выглядел он гораздо старше. Седая голова, лицо в морщинах.

— Ее могут выдать нам только в мечети, — вздохнул следователь, — когда повезут обмывать тело. Мы же не можем раздеть его прямо здесь.

По мусульманским обычаям, тело покойного обмывали в мечети, заворачивая в белый саван.

— Можно забрать рубашку, — предложил эксперт.

— Вы совсем рехнулись, — подал гневный голос Керим, — только в мечети. Не раньше.

— Мне кажется, что я могу предложить свою версию, — сказал Дронго. — Выстрел был произведен с очень близкого расстояния. Но ожога мы не нашли. Как и вторую подушку. Мне кажется, что убийца использовал ее в качестве глушителя. Прижал ее к груди Алхасова и сквозь подушку выстрелил.

— Возможно, — согласился эксперт, — но в таком случае никто бы не услышал звука выстрела. А вы его услышали и поэтому поднялись в кабинет.

— Да, — согласился Дронго, — я слышал выстрел. Но мы, наверное, говорим о разных выстрелах.

— Тогда куда она исчезла? — вздохнул следователь, не расслышав последние слова Дронго. — Может, ее вообще не было?

— Она была, — уверенно возразил Дронго, — я помню, что она была. И ее нужно найти.

Вернулись офицеры полиции.

— В соседних комнатах ничего нет, — сообщил один из них.

Дронго повернулся и вышел из кабинета. Прошел в спальню. Куда могла деться эта проклятая подушка? Убийца не имел возможности носиться с ней по коридору, чтобы спрятать в другом месте. Даже если у него было много времени. Зачем привлекать к себе внимание таким странным видом? Значит, она должна быть рядом. Но где? Черт побери. Кровать не убрана. Прежде уборкой комнат занималась Лида. Теперь некому. Он осмотрелся. Открыл дверцу шкафа. Офицеры наверняка здесь искали. Стоп... Стоп. Как же он раньше не подумал! Подушка не может быть здесь. Салхаб сказал, что, когда у него начался приступ, его кто-то позвал. Значит... нельзя быть таким кретином! Нужно было давно догадаться.

Дронго поспешил в комнату Салхаба. Там он неожиданно для себя увидел Лиану, которая копалась в тумбочке. Лиана явно смутилась.

— Что вы здесь делаете? — спросил Дронго.

— Хотела посмотреть его лекарства, которые он в последнее время принимал, — пояснила Лиана.

— Что-то не так?

— Слишком много приступов в последнее время. Может, он изменил дозировку без согласования с врачами. Я пытаюсь понять.

— Раньше у него было меньше приступов?

— Значительно меньше. Один или два в месяц. Но не больше.

— Понятно. Я тоже хочу поискать.

— Лекарства?

— Нет, подушку. Синюю подушку с дивана в кабинете.

Она обвела взглядом комнату.

— Здесь нет никакой синей подушки.

— Вижу. — Он подошел к шкафу, открыл дверцу. В нем висели костюм и рубашки Салхаба. Других шкафов в комнате не было. На всякий случай Дронго прошел в ванную комнату. Там тоже ничего не было.

— Ничего не нашли? — уточнила Лиана.

— Нет. — Он повернулся к выходу, когда обратил внимание на небольшое пятно на ковре, лежащем перед кроватью. Дронго подошел ближе. Посмотрел на пятно. И неожиданно кинулся на пол. Лиана даже не успела понять, что происходит, когда Дронго вытащил из-под кровати простреленную синюю подушку.

— Вот так, — сказал он, глядя на находку, — убийца вбежал сюда и затолкал подушку под кровать.

На подушке были следы крови и ожога от выстрела.

— Ничего не понимаю, — медленно произнесла Лиана. — Стреляли в подушку?

— Это не вы ее туда затолкали? — на всякий случай уточнил Дронго.

— Вы с ума сошли? — нахмурилась Лиана.

— Значит, ее спрятал кто-то другой, — спокойно подвел итог Дронго.

— Ничего не понимаю, — удивилась Лиана. — Зачем прятать подушку под кровать?

— У нашего убийцы было мало времени, — пояснил Дронго. — А где ее еще спрятать, как не под кроватью?

Лиана так ничего и не поняла. Дронго забрал подушку, вернулся в кабинет и протянул ее эксперту.

— Именно через нее застрелили Алхасова, — сказал он. — Можете сравнить группу крови и частицы пороха.

Эксперт кивнул, забирая подушку. Следователь взглянул на Дронго и немного ошеломленно спросил:

— Где вы ее нашли?

— В комнате Салхаба, — пояснил Дронго.

— Значит, все-таки стрелял он, — мрачно проговорил следователь, — а нам сказал, что ничего не помнит.

— Я бы не был столь категоричен, — предложил Дронго. — Во-первых, приступ у него действительно был. Во-вторых, если бы Салхаб застрелил Эльбруса, то постарался бы избавиться не только от подушки, но и от пистолета. От пистолета в первую очередь! Однако пистолет он продолжал держать в руке. Вы что ж думаете, что он застрелил брата, потом кинулся с подушкой к себе, затолкал ее под кровать, а потом зачем-то вернулся с пистолетом на место преступления? Странный преступник, не находите?

— Нахожу, — согласился следователь. — Только не странный, а психически больной. Поэтому его увезли в больницу. Возьмут анализы, проверят эпилепсию. И только потом мы сможем оценить, насколько осмысленными были его поступки, насколько сознательно он совершил убийства.

— Все-таки хотите повесить все три убийства на Салхаба?

— Мы с вами уже говорили об этом, — поморщился Насир. — Не нужно больше возвращаться к этому вопросу. Его проверят и поставят диагноз. Кстати, проверят и подушку, которую вы принесли. Если на ней помимо крови и пороха остались еще какие-то частицы — допустим, обломанные ногти или волосы Салхаба, — то его вина будет более чем очевидной.

— Может, тогда вы объясните, зачем он стрелял через подушку?

— Чтобы приглушить звук выстрела и успеть скрыться.

— Но я отчетливо слышал громкий, звонкий, ничем не приглушенный выстрел!

— Скорее, вам показалось, что выстрел был прямо-таки звонкий и громкий. А с другой стороны — что такое подушка? Это же не профессиональный глушитель. Вряд ли она существенно могла приглушить выстрел... Сейчас сюда приедет начальник полиции, — сообщил следователь, — он тоже придерживается версии, что все три убийства совершил больной человек. А именно, Салхаб Алхасов!

— Удобная для всех версия.

— И единственно правильная.

— Не уверен, — пробормотал Дронго, — совсем не уверен.

Следователь отвернулся. Он не хотел спорить. Дронго вышел из кабинета, спустился по лестнице, прошел на кухню. На стуле сидела Шукуфа, скрестив руки на груди. Очевидно, смерть хозяина стала для нее не только неожиданным ударом, но и завершением ее работы в этом доме. Вряд ли дети Алхасова захотят жить в такой глуши. Дом опустеет. Кухарка тут будет уже не нужна. Дронго осторожно сел рядом.

— Простите, что беспокою вас, — обратился он к женщине.

— Я вас слушаю, — подняла голову Шукуфа.

— Вы работали только на кухне, а в комнатах убирала Лида?

— Да. Но я иногда помогала ей перед приездом гостей.

— Сюда приезжало много гостей?

— Нет, немного. Этот дом был построен для семьи.

— Кто забирал оружие из шкафа, когда выезжали на охоту?

— Рагиб. Всегда только Рагиб. Они ездили вместе с хозяином, — она тяжело вздохнула.

— Вы уже давно в доме. Сюда часто приезжали его дети?

— Очень редко. Эсмира говорила, что сюда не нужно приезжать. Ее муж иногда появлялся здесь. Керим приезжал чаще. Но редко оставался ночевать.

— Он ходил в село к своей знакомой вдове, — уточнил Дронго.

Шукуфа вспыхнула.

— Я не знаю, — ответила она, и было очевидно, что она знает обо всем.

— А грузинские гости приезжали?

— Один раз. Но прежде несколько раз приезжала только женщина.

— Вместе с Алхасовым?

— Да. И с его братом. Она ухаживала за Салхабом. Кто мог подумать, что он во время приступа случайно выстрелит в своего старшего брата!

— Здесь у него часто бывали приступы?

— Нет. Ни разу не было. Только вчера случился.

— Да, я помню. Спасибо вам. И не переживайте. Я думаю, что Керим захочет оставить вас в качестве кухарки в доме. Он ведь будет наследником.

— Этот дом записан на его сестру.

— Откуда вы знаете?

— Так говорил наш хозяин. Он любил ее больше других.

— А она?

— Не очень его любила, — призналась Шукуфа. — Все время с ним ругалась. И мужа своего ругала. Оскорбляла при всех. Характер у нее очень решительный, но женщина в наших местах обязана уважать своего отца и своего мужа. Такой порядок. Как вы думаете — сегодня кто-нибудь будет обедать? Никто не приходит, не спрашивает...

— У всех пропал аппетит. Уже скоро время ужина.

— Я не знаю, как быть. У кого мне узнать?

— Наверное, у Эсмиры, если это ее дом, — предложил Дронго.

Он вышел в прихожую. Услышал шум подъехавшей машины и стук дверей. В дом вошел начальник полиции. Он был в форме. Увидев Дронго, мрачно кивнул ему.

— Как такое могло случиться? — принялся он рассуждать вслух. — В доме находятся такой опытный эксперт, как вы, а также следователь, несколько офицеров и все равно — Эльбруса Алхасова застрелили. Мне столько людей звонят, никто не верит.

Сверху быстро спускался следователь, которому сообщили о приезде начальника полиции. Фазиль угрюмо кивнул ему.

— Салхаба уже увезли?

— Да, — кивнул Насир. — Его забрали примерно час назад.

— Оформишь все документы как положено. Салхаб — тяжело больной человек, и у него под влиянием эпилепсии развились разные психозы и галлюцинации. Он задушил Лиду, потом украл ружье и выстрелил в Рагиба. Все эти преступления завершились тем, что он вытащил пистолет и начал стрелять в своего старшего брата. Потом у него начался очередной приступ. И наш уважаемый эксперт обнаружил его с пистолетом рядом с телом брата... Какое горе, какое горе...

— Он выстрелил в своего брата один раз, — напомнил следователь.

— Пусть будет один раз, — согласился начальник полиции. — Пойдем наверх, и ты мне все покажешь.

Следователь старался не смотреть на Дронго. Они с Фазилем пошли по лестнице. Дронго поднимался следом. Он уже понимал, что решение объявить Салхаба убийцей принято на самом высоком уровне и никто не посмеет пересмотреть, подвергнуть его сомнению. Решение, устраивающее всех. Решение, которое поставит точку и прекратит все слухи и домыслы.

Они прошли в кабинет, где у тела дежурил офицер полиции. Керима не было.

— Завтра его отправят в Баку, — напомнил следователь. — Мне не разрешили отвезти его в морг.

— А ты думал, разрешат? — недовольно спросил Фазиль. — Вызовите муллу, чтобы прочитал молитву по нашим обычаям. И пусть привезут лед, иначе они не смогут тело довезти до города. Можешь представить, какие люди приедут на похороны? Объявили, что его похоронят на аллее почетного захоронения.

— Я все понимаю, — пробормотал Насир.

— Не понимаешь, — жестко ответил начальник полиции. — Если бы понимал, то все сделал бы без моей подсказки. На подобном деле можно сделать карьеру, а можно свернуть себе шею. И только от тебя зависит, какой будет итог.

Дронго не хотел больше слушать и пошел навестить Джил. Дверь в комнату Салхаба была чуть приоткрыта. Дронго подумал, что Лиана не закрыла ее, когда уходила отсюда. Он уже взялся за ручку, но невольно заглянул в комнату. На кровати, широко раскинув руки, лежала Лиана. Можно было не подходить ближе. Было совершенно очевидно, что она мертва.

Глава 18

Дронго понял, какому риску он только что себя подверг. Хорошо, что никто не видел, как он заглядывал в комнату. Судя по тому, как быстро и легко все убийства повесили на Салхаба, можно было предположить, что в убийстве Лианы так же легко обвинили бы Дронго. Он быстро вернулся в кабинет. Начальник полиции и следователь обернулись.

— У нас еще один труп, — коротко сообщил Дронго.

— Не нужно так шутить, — ответил начальник полиции. — Мы уже во всем разобрались.

— В комнате Салхаба лежит убитая Лиана. Кажется, ее задушили, — спокойно сказал Дронго.

Фазиль посмотрел на следователя. Открыл рот, собираясь выругаться. И бросился в комнату Салхаба. Следователь побежал за ним. Дронго замыкал эту группу. Фазиль оглянулся по сторонам, подошел к лежащей на кровати Лиане, наклонился, осмотрел. Взглянул на следователя и на Дронго.

— Очень интересно, — нехорошим голосом произнес он. Затем взглянул на Дронго. — Надеюсь, это не вы сделали?

Трудно было понять, шутил начальник полиции или нет.

— Понимаю, что я тоже удобный субъект для подозрений. Но хочу вас успокоить. Это не я.

— Значит... значит... значит, ее убили совсем недавно, — выдавил Фазиль, расстегивая воротник мундира. Посмотрел на следователя, вытащил платок, вытер лицо. И тихо спросил: — Что теперь делать? В доме столько сотрудников полиции, а у нас новое убийство. Может, хватит? Остановимся? Кто ее убил?! — закричал он изо всех сил.

Насир угрюмо молчал.

— Не кричите, — попросил Дронго, — не нужно кричать. Нам важно быстро вычислить убийцу. Но это точно был не Салхаб Алхасов, под которого вы так удобно подогнали три предыдущих преступления.

— Что я скажу министру? — простонал Фазиль. — С меня снимут погоны. Выгонят без пенсии. Я был в соседней комнате, когда здесь задушили женщину. Мне никто не поверит. Надо мной будут смеяться все офицеры нашего министерства. Я стану посмешищем.

— Не стоит так нервничать. Убийца допустил ошибку, — сказал Дронго. — Он явно не планировал это убийство. Посмотрите, все лекарства, которые принимал Салхаб Алхасов, рассыпаны по полу.

— Ну и что? — не понял начальник полиции.

— Это была ошибка убийцы, — пояснил Дронго. — Теперь постараемся его быстро обнаружить.

— Кого обнаружить? Вы считаете, что убийца все еще здесь? Кто? Кто это может быть? Мы забрали подозреваемого. Откуда здесь появился новый убийца?

— Боюсь, что он не новый, а старый. Тот самый, который совершил три предыдущих убийства.

— Мне не нравятся ваши шутки, — поморщился Фазиль. — Мы точно знаем, что в убийстве Эльбруса Алхасова принимал участие его младший брат.

— Это не доказано. Вы хотите, чтобы в убийстве старшего брата был виноват младший. Но боюсь, что вы ошибаетесь. Я попытаюсь это вам доказать.

— Вы работаете экспертом-криминалистом или адвокатом? — окончательно разозлился начальник полиции. — Зачем вы устроили этот балаган?

Дронго, уже не обращая внимания на дергавшегося собеседника, наклонился к убитой.

— Сломаны шейные позвонки, — констатировал он. — Убийца задушил ее и бросил на кровать. Очевидно, подошел сзади. Как и в случае с Лидой. Только на этот раз душил руками. Резко, сильно, неожиданно. Она даже не поняла, что происходит. Очевидно, не ожидала такого нападения.

— Это могла быть женщина? — уточнил следователь.

— Если Эсмира, то могла. Она занималась теннисом, у нее сильные руки. Если такая, как Шукуфа, то не могла. Шум борьбы был бы достаточно громкий, и мы бы услышали. Убийца был здесь несколько минут назад и не успел даже закрыть дверь.

— Зачем вы нам все это рассказываете? — зло осведомился Фазиль. — Это поможет нам в расследовании?

— Полагаю, что да. Если вы перестанете нервничать и успокоитесь, то я смогу помочь вам в этом расследовании.

— Вы уже помогли, — разозлился начальник полиции. — Четыре трупа за полтора дня. Завтра о нас напишут все газеты страны. Мне даже не хочется думать об этом.

— Можно я опять позову экспертов? — предложил следователь.

— Делай что хочешь, — махнул рукой Фазиль. — Все равно уже ничего не докажем. Напрасно я приехал. Это была моя большая ошибка.

Дронго повернулся и вышел. Дошел до своей комнаты и постучал. Джил открыла дверь.

— Что-то опять случилось? — спросила она.

— Каждую минуту происходят разные события, — сказал Дронго.

— Я слышала, как кто-то бежал по коридору, — призналась Джил. — Своеобразный такой ритм шагов, очень частый, что ли. Так вот. Я вспомнила. Этот же человек бежал по коридору сегодня утром, перед тем как в кабинете Эльбруса раздался выстрел.

— Сразу раздался выстрел?

— Нет, не сразу.

— Спасибо.

— За что?

— Я все понял. Теперь все понял.

— Ты сможешь мне объяснить?

— Конечно. Я сделаю это через несколько минут. Только с одним условием. Мы сейчас спустимся в гостиную. Ты сядешь там на любой свободный стул. Там будут начальник полиции и следователь.

— Для чего? — улыбнулась Джил. — Для моей безопасности?

— Нет. Я собираюсь наконец рассказать, что здесь произошло. Пойдем со мной.

Они вышли из комнаты. В комнате, где находилась убитая Лиана, работали двое офицеров полиции. Начальник полиции вышел оттуда. Лицо его было багровым. Взглянул на Дронго с нескрываемой ненавистью.

— Успокоились? Не хотели поверить в нашу версию? Теперь будете придумывать новую.

— Зачем ее придумывать? Она уже есть, — ответил Дронго. — Оставьте здесь одного офицера и распорядитесь собрать всех внизу. Я расскажу вам обо всех четырех преступлениях. Если, конечно, вам это интересно, — добавил он не без некоторого злорадства.

Фазиль взглянул на него, хотел что-то возразить, но лишь качнул головой и пошел вниз по лестнице.

— Насир, — обратился Дронго к следователю. — Выделите мне одного офицера, который спустится вниз и не будет сводить глаз с Джил. А я постараюсь что-нибудь придумать.

— Хорошо, — согласился следователь, подзывая одного из сотрудников полиции.

В этот момент из своей комнаты вышел Роберт. Увидев толпившихся в коридоре людей, он подошел к ним.

— Вы можете войти в комнату, — предложил следователь.

— Что случилось?

— Ваша супруга, — коротко сообщил Насир.

Роберт оттолкнул его и вбежал в комнату. Увидел убитую Лиану. Лицо превратилось в каменную маску. Он стоял и смотрел на убитую. Только дергались его плечи.

— Постарайтесь успокоиться, — произнес Дронго, подойдя к нему со спины.

— Кто? — спросил Роберт. — Кто это сделал?

— Мы пока не знаем.

— Проклятый дом, — пробормотал Роберт. — Я так не хотел сюда приезжать. Но она меня заверила, что это в последний раз. И я согласился.

— Вы знали о ее прежних отношениях с Алхасовым? Простите, что спрашиваю. Но теперь их обоих нет в живых.

— Да. Мне рассказали об этом. Думаете, что я решил отомстить таким образом? Сначала застрелил Алхасова, а потом задушил жену?

— Нет, не думаю. Просто в подобных случаях нужно сразу и резко прерывать всякие отношения. Здесь не Европа, и даже не Грузия.

Роберт смотрел на тело жены.

— Почему здесь? Что она здесь делала?

— Смотрела лекарства, которые принимал Салхаб. Я застал ее здесь примерно двадцать минут назад.

— Зачем ей это было нужно?

— По-моему, она что-то заподозрила и...

Дронго посмотрел на стоявшего рядом следователя.

— Убийца вернулся сюда за простреленной подушкой. Он понимал, что это главная улика против него. И наткнулся на Лиану.

— Кто это был? — устало спросил Насир. — В доме почти никого не осталось. Только трое мужчин, если не считать нас. Сын и зять хозяина дома. И муж убитой. Больше никого нет. При желании можно посчитать и вас.

— И даже обвинить в этом убийстве, — холодно произнес Дронго. — Наш уважаемый начальник полиции согласен на любые варианты, лишь бы доложить о завершении этого дела. Но он слишком торопится. Повторяю. Убийца все идеально рассчитал, но в данном случае он совершил ошибку.

Роберт обернулся к ним.

— О чем вы говорите? Какая ошибка?

— Он вернулся в комнату и случайно столкнулся с вашей супругой, — пояснил Дронго. — У него просто не было иного выхода. Она наверняка обо всем догадалась.

— Мне от этого не легче. — Роберт достал сигарету, щелкнул зажигалкой, закурил.

Следователь хотел предупредить, что по местным законам нельзя курить в помещениях, но, посмотрев на Роберта, промолчал.

— Вы начали снова курить, когда узнали о прежней связи вашей супруги с Алхасовым? — уточнил Дронго.

— Да, — кивнул Роберт, не сводя глаз с жены. — Я ее очень любил. Но снова закурил. Мне было неприятно, что она скрыла от меня этот факт. Но она молодец, что обо всем честно рассказала. Она была свободным человеком, развелась со своим первым мужем и имела право на самостоятельную жизнь. Но мне все равно было неприятно. Получалось, что сотрудничество Алхасова с нашим банком было своеобразной платой за его прежние встречи с Лианой. Хотя такое сравнение ее очень оскорбляло.

Дронго, а за ним и следователь вышли из комнаты.

— Он ее любил, — негромко произнес Насир. — Откуда вы узнали, что она и Эльбрус раньше были близки?

— Я предположил, и оба подтвердили. Они этого не скрывали. Для Эльбруса, как для восточного человека, это было подтверждением его мужских качеств. А она была достаточно независимым человеком и не видела в этом ничего особенного.

— Слишком независимой, — пробормотал следователь. — По-моему, это было безнравственно. Привозить своего мужа к бывшему сожителю. Который еще и оказывал финансовую поддержку их семье.

— В данном случае он использовал эту семью в собственных целях. Банк, где работал Роберт, нужен был ему для оформления зарубежных сделок, а Лиана продолжала ухаживать за его младшим братом. Речь идет скорее о его выгоде.

— Роберт все-таки кавказец, — напомнил Насир. — После того как он все узнал, у него были основания ненавидеть хозяина дома и свою жену. Это могла быть ревность, которая переросла в ненависть. Возможно, он и решил отомстить таким образом, застрелив Алхасова и задушив жену. Может, и другие два преступления совершил именно Роберт.

— Хорошо, что нас не слышит ваш начальник полиции, — заметил Дронго. — Его более устраивает версия с сумасшедшим братом. Несчастный случай, который был расследован в течение суток, гораздо удобнее, чем загадочные преступления, повторяющиеся с пугающей периодичностью. Не говоря уже о том, что последние два убийства произошли при обстоятельствах, когда в поместье было столько офицеров полиции.

— Хотите сказать, что версия с Салхабом вообще не имеет права на существование?

— Убийство Лианы — это самое главное и исчерпывающее алиби Салхаба. Совершить его мог кто угодно, только не он, так как сейчас он находится в психиатрической лечебнице. И вы это тоже понимаете. Просто после звонков вашего министра и прокурора вы понимаете, что попали в безвыходную ситуацию и обязаны играть по их правилам.

— А что, у меня есть выбор?

— Боюсь, что нет.

— Вот видите.

В конце коридора стоял Фазиль, который беспрерывно курил, глядя куда-то в сторону. Он уже понял, что его удобная версия с больным братом Алхасова лопнула. Больным братом невозможно объяснить убийство Лианы. Поэтому он курил, в очередной раз укоряя себя за то, что приехал сюда и решил лично принять участие в расследовании. Но он не мог поступить иначе. После звонка министра он обязан был сюда приехать и взять под личный контроль расследование.

Дронго подошел к нему.

— Я попытаюсь прояснить ситуацию, — пообещал он.

— Поздно, — поморщился начальник полиции. — Мы уже ничего не сможем сделать. В СМИ запущено официальное сообщение, что Эльбрус Алхасов погиб в результате несчастного случая. Любая другая версия будет выглядеть как опровержение первой. Нам никто не позволит что-то изменить.

— Убийство Лианы — тоже несчастный случай?

— Наверное, да.

— Она сама свернула себе шею?

— Не шутите. Нужно придумать удобное объяснение.

— А может, лучше попытаться понять, что здесь на самом деле произошло?

— Это надо было сделать раньше. Теперь поздно.

— Еще нет. Давайте сделаем так. Вы соберете всех в гостиной и дадите мне несколько минут, чтобы я прошел по комнатам. Потом я расскажу вам о своих наблюдениях.

— Делайте что хотите, — обреченно махнул рукой Фазиль, доставая очередную сигарету.

Глава 19

Через некоторое время все проживающие в доме начали собираться в гостиной. Начальник полиции, все еще не пришедший в себя после шока, сидел напыщенный и злой. Ему принесли воду, и он залпом выпил два стакана.

Все собравшиеся молча ждали объяснений Дронго, который должен был наконец решить все загадки, произошедшие в доме. На диван сели Эсмира и Джил, стулья заняли потемневший от горя Роберт, мрачный Керим, озабоченный Эльнур. Чуть в стороне сидели Фазиль и Насир. Первый нетерпеливо ерзал на месте в ожидании Дронго. Еще совсем недавно ему казалось, что дело можно успешно закрыть и доложить руководству, что все преступления совершил тяжело больной младший брат Алхасова. Однако оказавшийся тут эксперт настаивал, что все не так просто и убийства совершил совсем другой человек. Эх, если бы не последнее убийство Лианы, то этого Дронго можно было бы вообще игнорировать, с неожиданной ненавистью подумал Фазиль, глядя на сидевших в гостиной людей. Как все было бы прекрасно! Но убийство Лианы перечеркнуло все планы... Сидевший рядом следователь боялся даже смотреть в сторону своего руководителя, понимая, как сейчас злится начальник.

— Давайте быстрее, — предложил Фазиль. — Я понимаю, что в этом доме уже столько всякого случилось, что можно просто сойти с ума. Но мы должны закончить это дело. Предположим, что три первых убийства совершил Салхаб Алхасов, что мы и предполагали. Но здесь случилось и четвертое убийство, когда Салхаба в поместье уже не было. Поэтому мы собрались здесь и хотим выслушать версию нашего гостя. Может, мы, наконец, поймем, что происходит.

Дронго согласно кивнул. Перед ним сидели трое мужчин и две женщины, считая Джил. И еще двое офицеров полиции за его спиной. Он мрачно посмотрел на всех и, наконец, произнес:

— Давайте вернемся на два дня назад. В тот день мы сидели за свадебным столом, и вдруг племяннику хозяина дома стало плохо. Мне тогда удалось дотащить его до туалета. А потом его увезли в больницу.

— При чем тут свадьба и отравление Эркина? — вмешалась Эсмира. — Наш кузен, наверное, просто перебрал на свадьбе и поэтому ему стало плохо. Лучше расскажите, кто убил Лиану.

— Подождите, — попросил Дронго. — Дело в том, что ваш двоюродный брат не отравился. Его отравили.

— Его отравил кто-то из присутствующих на свадьбе? — уточнила Эсмира. — Его тоже хотели убить?

— Нет. Если бы хотели, он бы не доехал до больницы живым. Его хотели лишь временно вывести из строя, а не убить.

— Зачем?

— Чтобы он не присутствовал на переговорах с итальянцами.

— Хорошо, что мой отец не слышит ваших слов. Похоже, на нашу семью открылась настоящая охота, — сказала Эсмира.

Керим покачал головой, но ничего не сказал.

— Как раз именно ваш отец приказал отравить Эркина, чтобы не допустить его до переговоров, — объяснил Дронго.

— Не смейте так говорить! — возмутилась дочь Эльбруса. — Если его нет в живых, то это не значит, что на него можно безнаказанно клеветать!

— Он сам рассказал мне об этом, — пояснил Дронго, — он не хотел допускать Эркина на переговоры. Запретить племяннику появляться на переговоры без скандала было невозможно. И он придумал такой трюк. Ваш отец ни в коем случае не собирался его убивать. Эркину просто подсыпали в бокал препарат, вызывающий расстройство пищеварения и потерю сознания. Я же своими действиями, когда начал промывать Эркину желудок, едва не сорвал все планы.

— Эльбрус Алхасов подсыпал какую-то гадость в бокал своего племянника? — не поверил Фазиль. — Что вы такое несете?

— Не сам подсыпал. Он попросил сделать это другого человека.

— Странный способ отстранить от переговоров, — пробормотал начальник полиции.

— Кто же тогда подсыпал препарат? — спросила Эсмира. — Это были не вы?

— Нет, не я. Я его спасал. Это сделала Лиана.

— Перестаньте, — привстал от возмущения Роберт. — Вам мало того, что ее убили в этом проклятом доме?! Теперь вы обвиняете ее в том, что она его отравила? Тело еще не остыло, а вы...

— К сожалению, это так. Лиана прекрасно разбиралась в лекарствах, и она знала, что надо дать человеку, чтобы вызвать у него стойкое недомогание на недельку. Ей не сложно было согласиться на этот поступок, так как Эркин удивительным образом внушал ненависть всем, кто с ним только знакомился. Такое особое свойство его натуры.

— Я чувствовала, что эту Лиану нельзя пускать в наш дом, — зло процедила Эсмира. — Если она с легкостью пошла на отравление моего двоюродного брата, то я не удивлюсь, если все убийства тоже организовала она. Уж к моему дяде она легко могла втереться в доверие. Вечно они ездили вместе.

— Она его лечила и ухаживала за ним! — вмешался Роберт. — Неужели вы этого до сих пор не поняли?

— И долечила до того, что он убил троих людей! — язвительно произнесла Эсмира.

— Успокойтесь, — посоветовал Дронго и продолжил: — Итак, Эркина убрали с переговоров, сымитировав отравление. Благодаря тому, что я вовремя вмешался, он сейчас быстро идет на поправку.

Затем начались трагические события. Мне сразу стало понятно, что Лида с кем-то встречалась у старого дерева. Ей стало известно о готовящемся преступлении, и она шантажировала преступника, требуя от него за свое молчание деньги. Вспомните, как она умела бесшумно передвигаться и была в курсе всего, что происходило в доме. Ей очень нужны были деньги на учебу племянника. Убийца назначил ей свидание у старого дерева. Он принес туда деньги. В подходящий момент он набросил провод на шею несчастной и задушил ее.

Но затем у него начались проблемы. Очевидно, Рагиб понял, кто именно задушил Лиду, и предъявил преступнику свои претензии. Таким образом, он тоже попытался шантажировать убийцу и за его счет поправить материальное положение своей семьи.

Но убийца — не тот человек, которого можно так легко шантажировать. Возникающие проблемы убийца решает одним-единственным радикальным способом — убийством.

Рано утром он вошел в кабинет, точно зная, что ружья лежат в шкафу и не запираются. Убийца достал ружье и в тот же момент обнаружил телефон Алхасова на столе. Очень удачно! Он позвонил с этого телефона Рагибу и назначил встречу у пруда. Затем он пришел на встречу и без долгих разговоров просто выстрелил Рагибу в грудь. Таким образом он устранил второго человека, который пытался его шантажировать.

Теперь убийца готовился к самому главному — к убийству хозяина дома. Он и застрелил хозяина дома из пистолета. И здесь важны детали, о которых я сейчас расскажу.

— То есть вы хотите сказать, что в Эльбруса Алхасова стрелял не его младший брат? — изумился начальник полиции, даже вставая с места. — Что вы такое говорите?

— Стрелял другой человек, — подтвердил Дронго. — Которому я, сам того не подозревая, обеспечил железное алиби.

В гостиной раздались возгласы удивления.

— Скажите, кто это? — крикнул кто-то. — Назовите имя!

— Ничего не понимаю, — повернулся Фазиль к следователю. — Может, ты что-то понимаешь?

Следователь пожал плечами.

— Я продолжу, — сказал Дронго. — На самом деле это было хорошо продуманное и тщательно спланированное преступление. Начнем с того, что убийца начал незаметно подменять лекарства, которые должен был принимать Салхаб. Вместо назорала он подкладывал другие таблетки, которые, наоборот, провоцировали наступление приступа. Могу сказать, что это был сильнодействующий нейролептик, внешне и даже по вкусу похожий на низорал. Вот потому приступы эпилепсии у Салхаба начали повторяться с нарастающей частотой. Так убийца готовил несчастного к роли главного обвиняемого.

В нужный момент Салхаб оказался в кабинете своего старшего брата, где его и застал сильный приступ эпилепсии. Несчастный человек в бессознательном состоянии рухнул на пол. Убийца подошел к Эльбрусу, выстрелил в него сквозь подушку, которую взял с дивана. Звук выстрела был приглушенным, и его никто не услышал. Затем убийца спустился на первый этаж. В кармане у него лежал маленький пульт дистанционного управления, и он незаметно нажал кнопку пуска. Вот тогда прозвучал очень громкий звук выстрела, который услышали все.

— Чушь! — закричал Фазиль. — Первый раз слышу, чтобы пультом управления можно было привести в действие пистолет! Не смешите нас, господин эксперт!

Но Дронго властным движением руки оборвал реплику Фазиля.

— Согласен, что пультом управления нельзя привести в действие оружие. Но им можно включить мощную звуковую аппаратуру. Музыкальный центр, например, на который заранее загружен звуковой файл выстрела. Подобных звуков в интернете сотни, на любой вкус. Скачать его и установить аудиоаппаратуру очень просто, это с легкостью сделает любой из нас.

После того как раздался выстрел, убийца имел абсолютное алиби. Я однажды сталкивался с подобным преступлением много лет назад. И сразу вспомнил о таком способе убийств, когда случайно обратил внимание, что пропала одна диванная подушка из кабинета. Я начал поиски и обнаружил ее в комнате Салхаба под кроватью. Убийца торопился и затолкал ее туда, чтобы затем незаметно достать.

— Хватит нас мучить!! Кто это сделал?! — не выдержав, спросила Эсмира.

— Момент для убийства был очень удачный, — продолжал Дронго, не обратив внимания на вопрос. — Керим в это время пытался выбраться в село к своей любимой женщине. Роберта и Лиану вызвал следователь. Я в это время был в доме. Слышал этот громкий выстрел. И так получилось, что невольно обеспечил убийце железное алиби.

— Кому?! — теперь уже загудел почти весь зал.

Дронго повернулся лицом к Эсмире.

Стало так тихо, что было слышно, как бьется в стекло случайно залетевшая сюда оса.

— Вашему мужу, Эсмира...

Женщина вздрогнула, посмотрела на Эльнура. Потом на Дронго. Муж покрылся красными пятнами.

— Нет, — прошептала Эсмира, — этого не может быть.

Даже Керим изумленно покачал головой. Роберт нахмурился, сжал кулаки.

— Может, — сурово произнес Дронго. — В тот момент, когда произошло убийство, вы принимали душ. И не могли заметить, что муж отсутствует. Как не услышали звук выстрела, который раздался из мощных колонок музыкального центра, стоящего в кабинете. Так получилось, что в нашем крыле никого не было. Но я обратил внимание, как запыхался Эльнур, сбегая по лестнице. Ему нужен был свидетель, который бы потом подтвердил, что в момент выстрела он был внизу... Ловко придумано, — оценил Дронго и усмехнулся.

— Однако он допустил небольшой промах, — продолжил Дронго после небольшой паузы. — Как только вы зашли в ванную комнату, ваш муж решил, что настало самое удобное время для совершения преступления. Времени у него было очень мало. Он побежал в сторону кабинета вашего отца. Этот быстрый бег, очень частый топот, случайно услышала Джил. Согласитесь, когда ранним безмятежным утром кто-то сломя голову несется по коридору, мы все немного заволнуемся.

Что было дальше? Нам нетрудно представить, как убийца силой заставил ничего не понимающего Салхаба проглотить таблетку опасного нейролептика, провоцирующего приступ эпилепсии, а затем его, слабеющего на глазах, затолкать в кабинет тестя. Салхаб потерял сознание прямо на глазах старшего брата, который тоже не понимал, что происходит. Тогда Эльнур схватил подушку с дивана, прижал ее к груди вашего отца и выстрелил. На лице Эльбруса так и осталось выражение изумления. Не разрешив своей дочери выйти за любимого человека, он выбрал для нее настоящее чудовище, которое в конечном счете погубило и его.

Застрелив Эльбруса, Эльнур вложил пистолет в руку Салхаба, который лежал у стола без сознания, схватил пульт от аудио и выбежал из кабинета. Подушку он затолкал под кровать Салхаба, а потом спустился вниз, где встретил меня. Что было дальше, вы знаете. Незаметно нащупал кнопку Play на пульте, лежащем в кармане. Оглушительный звук выстрела. Общая паника и суматоха...

Эльнур все еще молчал, уже пунцовый от волнения. Эсмира взглянула на него, крепко сжав губы. Она многое начала понимать.

— Но это не доказательства! — заявил вдруг Фазиль. — Все это только косвенные улики. Ничего конкретного! Мы не сможем на основании ваших умозаключений предъявить обвинения.

— Разумеется, — согласился Дронго. — Мы дождемся результатов анализов Салхаба, которые подтвердят, что в последнее время он принимал совсем не те лекарства, которые ему прописали. Мы допросим местного аптекаря, который расскажет, кто и когда покупал у него сильнодействующие психотропные вещества. Мы дождемся результатов исследования отпечатков пальцев на пульте музыкального центра. Специалисты осмотрят и сам музыкальный центр и выяснят, какие файлы воспроизводились на нем в последние часы. Но и это еще не все...

— Я видел только пробитую пулей подушку, — перебил его начальник полиции. — Но это не доказывает, что убийства спланировал и осуществил муж госпожи Алхасовой. Нам нужны более веские доказательства!

— Будут доказательства, — пообещал Дронго. — Этот трюк с подменой лекарств вскоре раскусила Лиана. Она почуяла неладное, когда у Салхаба участились приступы. И решила проверить лекарства, которые он принимал. Тогда-то она догадалась, что произошло на самом деле. Убийце было важно изъять лекарства и забрать из-под кровати подушку. Он вернулся в комнату Салхаба, где столкнулся с Лианой. Весь его идеальный план оказался под угрозой. По глазам Лианы он понял, что она обо всем догадалась.

Ему ничего не оставалось, как убить женщину, чтобы окончательно скрыть все улики.

— Вы хотите спросить, зачем Эльнуру понадобилось убивать тестя, — после паузы продолжил Дронго. — Он мечтал присвоить себе компанию Эльбруса.

При этих словах Эсмира неожиданно сорвалась со своего места и набросилась на мужа.

— Подлец, ничтожество, мразь, негодяй! — кричала она, нанося пощечины по лицу своего супруга.

Тот сделал резкое движение рукой и отбросил жену от себя. Эсмира упала, изумленно глядя на своего супруга. За все время их совместной жизни он никогда не позволял себе ничего подобного. Она не ударилась, она изумилась. И поэтому заплакала. От обиды, от оскорбления, от непонимания того, с кем жила все эти годы.

— Не смей трогать мою сестру! — вскочил Керим.

— Иди к черту, щенок, — лениво пробормотал Эльнур.

Полицейский и следователь с трудом удержали Керима, готового ринуться на своего родственника.

— Вы ничего не сможете доказать! — скривил тонкие губы Эльнур. — У вас нет никаких доказательств!

— Знаете, в чем ваша главная ошибка? — спросил Дронго Эльнура. — Вы не знали главного. Вы все это сделали напрасно.

— В каком смысле? — ослабевшим голосом уточнил Эльнур.

— Убирая с переговоров своего племянника, ваш тесть хотел оставить компанию на вас. Да. Да, именно на вас! Он считал вас достаточно разумным человеком, который любит его дочь и находится под ее полным контролем. Поэтому все, что вы придумали и осуществили, было напрасно. Компания уже почти была в ваших руках. Без крови, без убийств, без лжи...

— Неправда... Это вы так нарочно говорите... — произнес Эльнур. — Вы это сейчас придумали. Никогда бы Эльбрус не отдал мне компанию. Потому что в этой семье меня никто и никогда не уважал. Заставили жениться на женщине, которая сделала аборт от другого мужчины, терпеть все эти унижения и оскорбления. Меня никто всерьез не принимал. Ни Эркин, ни эта парочка — сестра с братом. И, я думаю, их отец меня тоже всерьез не воспринимал. Им все не нравилось. Моя одежда, мои привычки, мое поведение. Они считали себя элитой, а меня — жалким провинциалом.

— Тем не менее я говорю вам правду. Он действительно хотел оставить компанию на вас. А вы в это время активно разрабатывали свой план убийства и подкладывали Салхабу опасные таблетки. Очевидно, Лида и Рагиб это заметили. Лида попыталась использовать ситуацию с пользой для себя и шантажом получить от вас деньги. Двадцать тысяч манат. Но они не знали, с каким чудовищем связались. И были оба убиты вами.

— Подлец! — закричала Эсмира, с ненавистью глядя на мужа. — Как ты притворялся все эти годы!

— Не ори, — прикрикнул на нее Эльнур, — я не притворялся. Я молча терпел выходки взбалмошной идиотки, которая ничего не видела и не понимала.

Это было равносильно пощечине. Женщина снова заплакала.

— Заканчивайте балаган. Ни один суд вам не поверит, — сказал Эльнур, — мне надоело вас слушать. У вас ничего нет против меня.

— Да! — поддержал его начальник полиции. — У вас нет ничего против него!

— Есть, — спокойно сообщил Дронго, — в вашей комнате, где вы оставались со своей супругой, под подоконником стоит ваш чемодан. Я попрошу начальника полиции и полицейских в присутствии понятых открыть чемодан, взять оттуда и принести сюда пачку денег. Ровно двадцать тысяч манат. Она запаяна в полиэтилен, поэтому на ней прекрасно сохранились отпечатки пальцев тех людей, которые к ней прикасались...

Фазиль охотно встал и кивнул полицейским.

— Не сметь!! — вдруг рявкнул Эльнур и повернулся к Дронго. — Что?! Вынюхали?! Рылись в моих вещах?!

— Исполняйте! — крикнул Фазиль полицейским. Ему стало интересно. Он чувствовал, что развязка близка. Полицейские бегом кинулись к лестнице, начальник полиции поспешил за ними. Через минуту они втроем вернулись. Фазиль держал в платке запакованную в пленку пачку денег. На его губах блуждала торжествующая улыбка.

— Ровно двадцать тысяч манат, — объявил он присутствующим.

— Вы забрали эти деньги у Лиды после того, как ее задушили, — как ни в чем не бывало продолжал Дронго. — Более разумный преступник должен был сжечь эти деньги, но вы, будучи алчным, оставили их у себя в чемодане. Ведь главным мотивом ваших преступлений была жажда наживы, желание избавиться от опеки тестя и жены, стать во главе компании и разбогатеть. Вам нужно было взять реванш за все унижения и оскорбления, которыми вы подвергались в этой семье.

Фазиль, уже успевший передать пачку денег

экспертам, встал со своего места. В глазах сиял охотничий блеск.

Эльнур хотел что-то сказать, но не смог и лишь растерянно посмотрел по сторонам. Он понял, что проиграл и ему уже нечем опровергнуть слова эксперта. Он почувствовал на своем плече руку Роберта, обернулся и получил сильнейший удар в челюсть. Как подкошенный рухнул на пол.

— Правильно, — сказала с чувством удовлетворения Эсмира, — я разведусь с этим подонком, и пусть его посадят в тюрьму. Пожизненно. А нашу компанию я возглавлю сама.

— Это мы еще посмотрим, — сразу вмешался ее брат.

Эпилог

Они собирались на посадку. Сдав чемоданы, ждали, когда объявят их рейс. По телевизионным каналам показывали торжественные похороны Эльбруса Алхасова. Причиной смерти официально объявили несчастный случай. Джил была молчалива и задумчива. Она ни слова не произнесла после того, как они покинули дом Эльбруса. Когда наконец они оказались в салоне самолета и заняли свои места, Джил спросила у него:

— У тебя всегда так сложно и страшно?

— Почти...

Джил снова замолчала. Самолет пошел на взлет.

— Я больше не буду с тобой ездить, — прошептала она. — Такие потрясения не для моей нервной системы.

— Согласен. Я не думал, что все будет именно так.

— Какая ужасная семья. Какие непростые отношения. Значит, бывает и такое в жизни.

— Эльнура никто не воспринимал серьезно. Все считали его подкаблучником. А он искусно притворялся. Очевидно, его устраивало такое положение при богатом тесте и обеспеченной супруге. Но ему этого было мало. Он ненавидел своих новых родственников. Всю эту компанию молодых и невоспитанных людей. Эркина и Керима. Он прекрасно понимал, что гораздо умнее и гораздо способнее всех этих оболтусов. Эльбрус, будучи умным человеком, прекрасно разбирающимся в людях, тоже это понял. Потому и решил в конечном итоге оставить компанию на своего зятя. Он лучше всех разглядел способности Эльнура, но ошибся в одном. Не могла его дочь быть счастлива с этим человеком, которого он подобрал ей в мужья. Но ему так хотелось в это верить! Ведь он очень любил свою дочь.

— Мне его искренне жаль, — сказала Джил.

— И мне тоже, — признался Дронго. — Но в конечном итоге во всей этой истории виноват был именно он. Как воспитаешь своих детей, такой результат и получишь. Он считал, что большие деньги могут компенсировать недостаток внимания, заботы, отсутствия должного уважения в семье. Однако не компенсировали. И все эти непростые отношения в семье закончились трагически.

— И все-таки не бери меня больше в такие поездки, — попросила она, — это слишком тяжело для моей психики.

— Договорились.

— А ты? — спросила Джил. — Ты поедешь когда-нибудь снова?

Он вздохнул. Больше они не говорили на эту тему.

Литературно-художественное издание

АБДУЛЛАЕВ. МАСТЕР КРИМИНАЛЬНЫХ ТАЙН

Абдуллаев Чингиз Акифович

УРОК КРИМИНАЛИСТИКИ

Ответственный редактор *О. Дышева*
Художественный редактор *Р. Фахрутдинов*
Технический редактор *Г. Этманова*
Компьютерная верстка *И. Ковалева*
Корректор *В. Назарова*

В коллаже на обложке использованы фотографии:
© OPOLJA, Sahara Prince, Dm_Cherry, Paul Aniszewski / Shutterstock.com
Используется по лицензии от Shutterstock.com

Страна происхождения: Российская Федерация
Шығарылған елі: Ресей Федерациясы

ООО «Издательство «Эксмо»
123308, Россия, город Москва, улица Зорге, дом 1, строение 1, этаж 20, каб. 2013.
Тел.: 8 (495) 411-68-86.
Home page: www.eksmo.ru E-mail: info@eksmo.ru
Өндіруші: «ЭКСМО» АҚБ Баспасы,
123308, Ресей, қала Мәскеу, Зорге көшесі, 1 үй, 1 ғимарат, 20 қабат, офис 2013 ж.
Тел.: 8 (495) 411-68-86.
Home page: www.eksmo.ru E-mail: info@eksmo.ru.
Тауар белгісі: «Эксмо»
Интернет-магазин : www.book24.ru

Интернет-магазин : www.book24.kz
Интернет-дүкен : www.book24.kz
Импортёр в Республику Казахстан ТОО «РДЦ-Алматы».
Қазақстан Республикасындағы импорттаушы «РДЦ-Алматы» ЖШС.
Дистрибьютор и представитель по приему претензий на продукцию,
в Республике Казахстан: ТОО «РДЦ-Алматы»
Қазақстан Республикасында дистрибьютор және өнім бойынша арыз-талаптарды
қабылдаушының өкілі «РДЦ-Алматы» ЖШС,
Алматы қ., Домбровский көш., 3«а», литер Б, офис 1.
Тел.: 8 (727) 251-59-90/91/92; E-mail: RDC-Almaty@eksmo.kz
Өнімнің жарамдылық мерзімі шектелмеген.
Сертификация туралы ақпарат сайтта: www.eksmo.ru/certification

Сведения о подтверждении соответствия издания согласно законодательству РФ
о техническом регулировании можно получить на сайте Издательства «Эксмо»
www.eksmo.ru/certification
Өндірген мемлекет: Ресей. Сертификация қарастырылмаған

Дата изготовления / Подписано в печать 16.12.2020. Формат 84x108 $^{1}/_{32}$.
Гарнитура «Petersburg». Печать офсетная. Усл. печ. л. 16,8.
Тираж 5000 экз. Заказ № 45292.

Отпечатано в соответствии с качеством предоставленных издательством
электронных носителей в АО «Саратовский полиграфкомбинат».
410004, Россия, г. Саратов, ул. Чернышевского, 59. www.sarpk.ru

Москва. ООО «Торговый Дом «Эксмо»
Адрес: 123308, г. Москва, ул. Зорге, д.1, строение 1.
Телефон: +7 (495) 411-50-74. **E-mail:** reception@eksmo-sale.ru

По вопросам приобретения книг «Эксмо» зарубежными оптовыми покупателями обращаться в отдел зарубежных продаж ТД «Эксмо»
E-mail: **international@eksmo-sale.ru**

International Sales: International wholesale customers should contact Foreign Sales Department of Trading House «Eksmo» for their orders.
international@eksmo-sale.ru

По вопросам заказа книг корпоративным клиентам, в том числе в специальном оформлении, обращаться по тел.: +7 (495) 411-68-59, доб. 2261. E-mail: **ivanova.ey@eksmo.ru**

Оптовая торговля бумажно-беловыми и канцелярскими товарами для школы и офиса «Канц-Эксмо»:
Компания «Канц-Эксмо»: 142702, Московская обл., Ленинский р-н, г. Видное-2, Белокаменное ш., д. 1, а/я 5. Тел./факс: +7 (495) 745-28-87 (многоканальный).
e-mail: **kanc@eksmo-sale.ru**, сайт: www.**kanc-eksmo.ru**

Филиал «Торгового Дома «Эксмо» в Нижнем Новгороде
Адрес: 603094, г. Нижний Новгород, улица Карпинского, д. 29, бизнес-парк «Грин Плаза»
Телефон: +7 (831) 216-15-91 (92, 93, 94). **E-mail**: reception@eksmonn.ru

Филиал ООО «Издательство «Эксмо» в г. Санкт-Петербурге
Адрес: 192029, г. Санкт-Петербург, пр. Обуховской обороны, д. 84, лит. «Е»
Телефон: +7 (812) 365-46-03 / 04. **E-mail**: server@szko.ru

Филиал ООО «Издательство «Эксмо» в г. Екатеринбурге
Адрес: 620024, г. Екатеринбург, ул. Новинская, д. 2щ. Телефон: +7 (343) 272-72-01 (02/03/04/05/06/08)

Филиал ООО «Издательство «Эксмо» в г. Самаре. Адрес: 443052, г. Самара, пр-т Кирова, д. 75/1, лит. «Е». Телефон: +7 (846) 207-55-50. **E-mail**: RDC-samara@mail.ru

Филиал ООО «Издательство «Эксмо» в г. Ростове-на-Дону. Адрес: 344023, г. Ростов-на-Дону, ул. Страны Советов, 44А. Телефон: +7(863) 303-62-10. **E-mail**: info@rnd.eksmo.ru

Филиал ООО «Издательство «Эксмо» в г. Новосибирске. Адрес: 630015, г. Новосибирск, Комбинатский пер., д. 3. Телефон: +7(383) 289-91-42. E-mail: eksmo-nsk@yandex.ru

Обособленное подразделение в г. Хабаровске
Фактический адрес: 680000, г. Хабаровск, ул. Фрунзе, 22, оф. 703 . Почтовый адрес: 680020, г. Хабаровск, А/Я 1006. Телефон: (4212) 910-120, 910-211. **E-mail**: eksmo-khv@mail.ru

Филиал ООО «Издательство «Эксмо» в г. Тюмени
Центр оптово-розничных продаж Cash&Carry в г. Тюмени. Адрес: 625022, г. Тюмень, ул. Пермякова, 1а, 2 этаж. ТЦ «Перестрой-ка». Ежедневно с 9.00 до 20.00. Телефон: 8 (3452) 21-53-96

Республика Беларусь: ООО «ЭКСМО АСТ Си энд Си»
Центр оптово-розничных продаж Cash&Carry в г. Минске. Адрес: 220014, Республика Беларусь, г. Минск, проспект Жукова, 44, пом. 1-17, ТЦ «Outleto». Телефон: +375 17 251-40-23; +375 44 581-81-92
Режим работы: с 10.00 до 22.00. **E-mail**: exmoast@yandex.by

Казахстан: «РДЦ Алматы». Адрес: 050039, г. Алматы, ул. Домбровского, 3А
Телефон: +7 (727) 251-58-12, 251-59-90 (91,92,99). E-mail: RDC-Almaty@eksmo.kz

Украина: ООО «Форс Украина». Адрес: 04073, г. Киев, ул. Вербовая, 17а
Телефон: +38 (044) 290-99-44, (067) 536-33-22. **E-mail**: sales@forsukraine.com

Полный ассортимент продукции ООО «Издательство «Эксмо» можно приобрести в книжных магазинах «Читай-город» и заказать в интернет-магазине: www.chitai-gorod.ru.
Телефон единой справочной службы: 8 (800) 444-8-444. Звонок по России бесплатный.

Интернет-магазин ООО «Издательство «Эксмо» **www.book24.ru**
Розничная продажа книг с доставкой по всему миру.
Тел.: +7 (495) 745-89-14. E-mail: **imarket@eksmo-sale.ru**

ISBN 978-5-04-118032-4

9 785041 180324 >